KB076645

강력한 가톨릭대

자연계 수리논술 기출문제

저자 소개

저자 김근현은 현재 탁트인 교육, 일으킨 바람, 에듀코어 대표이다.
前 메가스터디 온라인에서 대입 논술과 면접, 자기소개서, 학생부종합 등 다양한 동영상 강의를 하였다.
현재는 학습 프로그램 개발 및 연구 활동을 통해 교육의 발전을 고민하고 있다.
홍익대학교에서 전자전기공학부를 졸업하고 동대학원에서 전자공학 석사(반도체 레이저)를 전공하였다. 또한 연세대학교 교육경영최고위자 과정을 마쳤으며 연세대학교 교육대학원에서 평생교육 경영을 공부하고 있다.

강력한 가톨릭대 자연계 수리논술 기출 문제

발　행 | 2024년 05월27일
저　자 | 김근현
펴낸이 | 김근현
펴낸곳 | 일으킨 바람
출판사등록 | 2018.11.12.(제2018-000186호)
주　소 | 경기도 고양시 일산서구 하이파크 3로 61 409동 1503호
전　화 | 031-713-7925
이메일 | illeukinbaram@gmail.com

ISBN | 979-11-93208-49-6

www.iluekinbaram.com
ⓒ 김 근 현 2023
본 책은 저작자의 지적 재산으로서 무단 전재와 복제를 금합니다.

강력한 가톨릭대
자연계 수리논술
기출문제

김 근 현 지음

차례

Ⅰ. 가톨릭대학교 논술 전형 분석

1. 논술 전형 분석

1) 전형 요소별 반영 비율

<table>
<tr><th>전형요소</th><th colspan="2">논술</th><th colspan="2">학생부교과</th><th colspan="2">총합</th></tr>
<tr><td>논술고사</td><td colspan="2">80%</td><td colspan="2">20%</td><td colspan="2">100%</td></tr>
<tr><td rowspan="2">반영</td><td>최고점</td><td>최저점</td><td>최고점</td><td>최저점</td><td>최고점</td><td>최저점</td></tr>
<tr><td>80점</td><td>0점</td><td>20</td><td>14점</td><td rowspan="2">100점</td><td rowspan="2">14점</td></tr>
<tr><td>실질반영비율</td><td colspan="2">93.7%</td><td colspan="2">7%</td></tr>
</table>

2) 학생부 교과 반영

20% (2024학년도 논술 70%+학생부 30%에서 변경)

(ㄱ) 반영교과 및 반영비율

- 계열 구분 없이 국어, 수학, 영어, 사회, 과학 교과 반영
- 진로 선택과목 반영하지 않음

대 상	인정범위	반영 교과
졸업(예정)자	1학년 1학기 ~ 3학년 1학기	국어, 영어, 수학, 과학, 사회

(ㄴ) 공통과목 및 일반선택과목

구분 등급	1등급	2등급	3등급	4등급	5등급	6등급	7등급	8등급	9등급
변환점수	1000	990	980	950	900	800	700	500	0

(ㄷ) 교과성적 산출방법

$$\text{교과성적} = \frac{\sum(\text{세부 과목 석차등급별 배점} \times \text{세부 과목 이수단위})}{\sum(\text{세부과목 이수단위})} \times \text{전형별 교과반영비율}$$

(ㄹ) 논술 전형 20% 적용시 학생부 교과 반영 점수

구분 등급	1등급	2등급	3등급	4등급	5등급	6등급	7등급	8등급	9등급
20%	100	99.5	99	98.5	98	97.5	97	90	70

3) 수능 최저학력 기준

없음 (단,약학과, 의예과, 간호학과만 있음)

약학과	국어(화법과 작문/언어와 매체), 수학(미적분/기하), 영어, 과탐(1과목) 중 3개 영역 등급 **합 5** 이내
의예과	국어(화법과 작문/언어와 매체), 수학(미적분/기하), 영어, 과탐(2과목 평균) 3개 영역 등급 **합 4** 이내 및 한국사 4등급 이내
간호학과	국어(화법과 작문/언어와 매체), 수학(미적분/기하/확률과통계), 영어, 사탐(1과목)/과탐(1과목) 3개 영역 등급 **합 7** 이내

1) 탐구 영역 반영 방법 : 2과목 등급 평균을 소수점 첫째자리에서 버림,
선택동일분야 Ⅰ+Ⅱ불인정

2) 약학과, 의예과, 간호학과는 지정한 4개 영역에 반드시 응시

4) 논술 전형 결과 (2023학년도)

(ㄱ) 2023학년도 논술 전형 결과

모집단위		모집인원	지원인원	경쟁률	추가합격인원
				2023학년도	
자연과학계열	화학과	3	48	16.00	2
	수학과	3	45	15.00	2
	물리학과	3	37	12.33	0
생활과학계열	식품영양학과	3	46	15.33	2
의생명과학과		4	68	17.00	0
ICT공학계열	컴퓨터정보공학부	4	121	30.25	1
	미디어기술콘텐츠학과	4	81	20.25	1
	정보통신전자공학부	4	85	21.25	1
바이오융합 공학계열	생명공학과	3	53	17.67	1
	에너지환경공학과	3	50	16.67	1
	바이오메디컬화학공학과	3	47	15.67	2
인공지능학과		5	113	22.60	0
데이터사이언스학과		4	72	18.00	0
바이오메디컬소프트웨어학과		4	70	17.50	0
자유전공학고 K자연 •생활)		5	76	15.20	4
자유전공학과 (공학)		4	76	19.00	3
약학과		5	1,717	343.40	0
의예과		19	4,140	217.89	1
간호학과		18	528	29.33	1
총계		**101**	7473	46.33	22

(ㄴ) 2023학년도 논술 전형 결과 (내신)

모집단위		지원자			최초합격자			최종등록자		
		최고	평균	최저	최고	평균	최저	최고	평균	최저
자연과학계열	화학과	3,10	5.35	7.34	3.76	4.82	5.70	4.99	5,13	5.40
	수학과	3.44	5.46	7.31	4.02	4.66	5.39	4.57	5.20	6.21
	물리학과	3.91	5.57	7.60	3.91	4.97	5.75	3.91	4.97	5.75
생활과학계열	식품영양학과	3,67	5.44	8.71	5.02	5.06	5.12	3.67	4.58	5.04
의생명과학과		3.61	5.02	7.16	3.61	4.48	5.39	3.61	4.48	5.39
ICT공학계열	컴퓨터정보공학부	3.30	5.16	7.85	3.68	4.55	5.33	4.27	4.93	5.33
	미디어기술콘텐츠학과	3.59	5.28	7.49	3.59	4.71	5.60	3.59	4.47	5.60
	정보통신전자공학부	3.51	5.28	7.35	4.60	5.66	6.72	5.50	6.15	6.72
바이오융합 공학계열	생명공학과	3.66	5.24	7.96	3.66	4.60	6.03	3.66	4.43	5.50
	에너지환경공학과	3,55	5.49	7.88	3.55	3.96	4.40	3.55	4.40	5.24
	바이오메디컬화학공학과	3.52	5.11	7.70	3.78	4.65	5.74	4.44	4.92	5.74
인공지능학과		3.58	5.43	7.72	3.82	4.85	5.71	3.82	4.92	5.71
데이터사이언스학과		3.39	5.39	7.38	3.83	4.63	5.03	3.83	4.63	5.03
바이오 메디컬소프트웨어 학과		3.74	5.42	8.45	4.14	5,07	5.45	4.14	5,07	5.45
자유전공학과 (자연 _ 생활)		3.40	5,53	8.37	3.40	4.58	5.32	4.49	4.86	5.44
자유전공학과 (공학)		3.64	5.43	8.19	4.32	5.05	6.44	4.02	4.56	4.97
약학과		1.52	3.94	8.12	1.52	2.35	2.86	1.52	2,35	2.86
의예과		1.08	3.42	8.46	1.46	2.16	2.64	1.46	2.12	2.64
간호학과		1.97	4.54	8.37	2.15	3.95	5.34	2.15	3.86	5.34

5) 논술 전형 결과 (2022학년도)

(ㄱ) 2022학년도 논술 전형 결과

모집단위		모집 인원	지원 인원	경쟁률		추가합격인원
				2022학년도	2021학년도	
자연과학계열	화학과	4	72	18.0	12.3	2
	수학과	4	70	17.5	11.3	2
	물리학과	4	65	16.3	9.0	1
생활과학계열	식품영양학과	4	77	19.3	9.3	2
의생명과학과		5	118	23.6	13.8	-
ICT공학계열	컴퓨터정보공학부	6	203	33.8	20.4	2
	미디어기술콘텐츠학과	6	120	20.0	12.4	3
	정보통신전자공학부	6	151	25.2	16.4	2
바이오융합공학계열	생명공학과	5	110	22.0	14.4	2
	에너지환경공학과	5	102	20.4	14.6	1
	바이오메디컬화학공학과	6	141	23.5	16.4	-
인공지능학과		7	154	22.0		7
데이터사이언스학과		6	118	19.7		1
의예과		20	5328	266.4	214.9	1
간호학과		20	958	47.9	26.3	5
총계		108	7787	39.71	30.1	31

(ㄴ) 2022학년도 논술 전형 결과 (내신)

모집단위		지원자			최초합격자			최종등록자		
		최고	평균	최저	최고	평균	최저	최고	평균	최저
자연과학계열	화학과	2.44	5.17	7.73	3.89	4.73	6.06	3.89	4.92	6.06
	수학과	3.02	5.08	7.64	4.2	4.52	4.93	3.43	4.31	4.93
	물리학과	3.96	5,51	7.69	5.21	5.38	5.68	4.46	5.11	5.68
생활과학계열	식품영양학과	3.03	5.47	7.99	4.08	5.19	5,78	4.08	5.02	6.19
의생명과학과		3.11	5.01	7.05	3.81	4.80	6.10	3.81	4.80	6.10
ICT공학계열	컴퓨터정보공학부	2.77	5.25	8.25	3.68	4.61	5.28	3.00	4.54	5.28
	미디어기술콘텐츠학과	3.18	5.50	8.16	3.18	4.55	5.64	4.11	5.17	6.69
	정보통신전자공학부	3.38	5.27	7.35	4.18	5.31	7.27	3.42	5.41	7.27
바이오융합 공학계열	생명공학과	2.58	5.21	7.84	2.58	4.57	6.47	2.58	4.74	6.47
	에너지환경공학과	3.21	5.35	8.37	3.90	5.00	5.79	3.90	5.00	5.79
	바이오메디컬화학공학과	2.66	5.16	8.02	3,78	4.80	6.00	3.78	4.80	6.00
인공지능학과		3.43	5.26	8.09	3.43	4.51	6.68	4.23	4.82	5.76
데이터 사이언스학과		3.28	5.39	8.55	4.47	5.31	6.08	3.28	4.96	6.08
의예과		1.05	3.59	8.36	1.19	2.35	3.47	1.19	2.43	3.47
간호학과		1.57	4.56	8.25	1.99	3.69	5.71	1.99	3.84	5.71

6) 논술 전형 결과 (2021학년도)

(ㄱ) 2021학년도 논술 전형 결과

모집단위		모집 인원	지원 인원	경쟁률		추가합격인원
				2021학년도	2020학년도	
자연과학계열	화학과	4	49	12.3	21.0	3
	수학과	4	45	11.3	20.8	3
	물리학과	4	36	9.0	17.5	-
생활과학계열	식품영양학과	3	28	9.3	18.0	1
의생명과학과		5	69	13.8	30.6	1
ICT공학계열	컴퓨터정보공학부	5	102	20.4	32.4	2
	미디어기술콘텐츠학과	5	62	12.4	27.6	1
	정보통신전자공학부	5	82	16.4	28.0	-
바이오융합공학계열	생명공학과	5	72	14.4	30.6	1
	에너지환경공학과	5	73	14.6	30.6	2
	바이오메디컬화학공학과	7	115	16.4	25.5	2
의예과		21	4,513	214.9 (실질 경쟁률 106.8 : 1)	161.8	3
간호학과		11	289	26.3 (실질 경쟁률 5.1 : 1)	32.6	2
총계		84	5,535	30.1	36.7	21

(ㄴ) 2021학년도 논술 전형 결과 (내신)

모집단위		최초합격자			최종등록자		
		최고	팡균	최저	최고	평균	최저
자연과학계열	화학과	3.63	5.16	6.22	3.52	4.31	5.10
	수학과	3.49	3.98	4.62	3.82	4.55	5.10
	물리학과	5.11	5.30	5.60	5.11	5.30	5.60
생활과학계열	식품영양학과	4.41	5.02	6.01	4.41	4.72	5.11
의생명과학과		3.68	4.77	5.85	4.63	5.03	5.85
CT공학계열	컴퓨터정보공학부	3.62	4.45	4.82	4.66	5.18	6.39
	미디어기술콘텐츠학과	3.57	4.54	5.40	3.57	4.50	5.40
	정보통신전자공학부	4.31	5,25	6.37	4.31	5.25	6.37
바이오융합공학계열	생명공학과	3.15	4.65	5.72	3.15	4.46	5.72
	에너지환경공학과	3.71	4.95	6.08	3.71	4.81	6.08
	바이오메디컬화학공학과	3.66	4.86	6.50	3.66	5.13	6.50
의예과		1.17	2.33	4.59	1.17	2.38	4.59
간호학과 (자연)		2.84	3.82	5.46	2.84	3.59	4.85

1. 논술 분석

구분	인문계열
출제 근거	고교 교육과정 내 출제
출제 범위	현 고등학교 교과
논술유형	수리논술
문항 수	3문항 (의예과 4문항)
답안지 형식	문항별 글자수 없음, 밑줄형 (노트형) 답안지
고사 시간	90분 (단, 의예과 100분)

1) 출제 구분 : 계열 구분 (자연계열 수리논술)

2) 출제 유형 : 수리논술

(1) 고교 교육과정의 범위와 수준에 맞는 문제 출제

(2) 고교 교육과정 범위 내의 수리적 혹은 과학적 원리를 제시하는 제시문을 활용하여 문제를 올바르게 분석하고 해결하는 지를 평가

3) 출제 원칙 :

(1) 제시문에 나타난 기본 개념에 대한 단순 적용 및 여러 제시문들에 나타난 수리적 개념을 논리적으로 연결하여 추론하는 문항이 출제됨

(2) 출제 범위 : **수학, 수학Ⅰ, 수학Ⅱ**

(단, 의예과, 약학과 : 수학, 수학Ⅰ, 수학Ⅱ, 미적분, 확률과 통계)

2. 출제 문항 수

구분	자연계
문항수	**3문항 (단, 의예과 4문항)**

3. 시험 시간

· **90분 (단, 의예과 100분)**

4. 논술 유의사항

1) 답안 작성 시 유의 사항

1. 최초 답안 작성시 흑색 볼펜 또는 연필 사용
2. 지정된 답안 분량을 초과 또는 미달하지 않도록 유의
3. 답안은 제공된 답안지로만 작성하여야 하며, 답안 내용이나 답안 여백에 성명, 수험번호 등 개인 신상과 관련된 내용 표기 금지
4. 문제지, 답안지 및 연습지는 가지고 나갈 수 없음

2) 2024학년도 모의 논술 채점 기준

1. 기본사항

(1) 각 논제를 각각 가중치를 가지고 채점하되 총점으로 환산하여 총괄 평가. 수리논술에서는 배당된 점수 범위 내에서 등급이 아닌 점수로 표기하여 합산함.

(2) 채점위원 2인이 1조가 되어 한 답안지를 1차와 2차로 나누어 채점하고, 1차 채점의 결과가 만점의 25% 이상의 차이가 날 경우 채점위원이 공동 합의로 2차 채점을 진행하고, 2차 채점에서 위원간의 조정이 이루어지지 않을 경우 3차 채점을 실시한다. 3차 채점은 출제위원을 포함한 새로운 채점위원 2인이 채점하되 1차 채점의 상위와 하위 점수 사이의 점수를 부여한다.

(3) 논술 답안에 수험생의 신원을 알릴 만한 요소가 있을 때는 다음과 같이 처리한다.

① 이름이 본문 내용과 별도로 표기된 경우 : 내용, 형식 모두 0점으로 채점

② 이름이 본문 중에 자연스럽게 노출된 경우 : 형식 부분에서 5점 감점

③ 제목이 표기된 경우 : 형식 부분에서 5점 감점

④ 기타 의도적으로 수험생의 신원을 알리는 기호로 판단되는 요소가 있는 경우 : 사안의 경중에 따라 형식 부분에서 5점 이상 감점

2. 세부 채점 사항

(1) 문제의 의도에서 완전히 이탈했거나 각 논제와 전혀 다른 내용을 서술한 경우는 0점으로 채점한다.

(2) 각 문항별 채점 기준은 다음과 같다.

<table>
<tr><td>[문항 1]
논제 1 (30점)
$\sin(A+C)=\sin(\pi-B)=\sin B$ 이므로
$$4\sin B\sin(A+C)=3 \Leftrightarrow 4\sin B\sin B=3 \Rightarrow$$ $$\sin B=\frac{\sqrt{3}}{2}\ (\because B<\pi)$$이고, 주어진 원의 반지름이 $R=2$이므로 사인법칙에 의해,
$$\frac{\overline{\mathrm{AC}}}{\sin B}=2R=4 \Leftrightarrow \overline{\mathrm{AC}}=4\sin B=2\sqrt{3}$$이다.</td><td>10점</td></tr>
<tr><td>원의 중심 O에서 삼각형 AOC의 밑변 $\overline{\mathrm{AC}}$에 내린 수선의 발을 H라 할 때, 삼각형 AOC의 높이 $\overline{\mathrm{OH}}$는 피타고라스 정리에 의해
$$\overline{\mathrm{OH}}^2=\overline{\mathrm{AO}}^2-\overline{\mathrm{AH}}^2=1 \Leftrightarrow \overline{\mathrm{OH}}=1$$제시문 (ㄴ)에 의해 삼각형 ADC의 넓이는 삼각형 AOC의 넓이의 3배이므로 삼각형 ADC의 높이는 삼각형 AOC의 높이의 3배인 3이어야 하고 원의 반지름이 2이므로 점 D는 $\overline{\mathrm{AC}}$의 수직 이등분선이 원과 만나는 점이어야 한다.</td><td>10점</td></tr>
</table>

따라서, 삼각형 ADC는 높이가 3인 정삼각형이므로 구하고자 하는 삼각형 ADC의 둘레의 길이는 $6\sqrt{3}$이다.	10점

[문항 2] 논제 1(15점) $h(x)=f(x)-x$라 하자. $h(0)=f(0)-0=0$이고 방정식 $h(x)=f(x)-x=0$의 서로 다른 실근의 개수는 2이므로 $h(x)=x^2(x-\alpha)$ 또는 $h(x)=x(x-\alpha)^2$이다. (단, $\alpha \neq 0$)	3점
1) $h(x)=x^2(x-\alpha)$인 경우: $f(x)=x^2(x-\alpha)+x$이고 $f'(x)=3x^2-2\alpha x+1$이다. 따라서 $1=f'(1)=4-2\alpha$, 즉 $\alpha=\dfrac{3}{2}$이다. $f'(x)=3x^2-3x+1$에서 $D/4=9-12<0$이므로 모든 실수 x에 대하여 $f'(x)>0$이다. 즉 $f(x)$는 극값을 갖지 않는다.	4점
2) $h(x)=x(x-\alpha)^2$인 경우: $f(x)=x(x-\alpha)^2+x$이고, $f'(x)=3x^2-4\alpha x+\alpha^2+1$이다. 따라서 $1=f'(1)=\alpha^2-4\alpha+4$, 즉 $(\alpha-1)(\alpha-3)=0$이다. (i) $\alpha=1$인 경우: $f'(x)=3x^2-4x+2$에서 $D/4=4-6<0$이므로 $f(x)$는 극값을 갖지 않는다. (ii) $\alpha=3$인 경우: $f'(x)=3x^2-12x+10$에서 $D/4=36-30>0$이므로 $f(x)$는 극값을 가진다. 따라서 $f(x)=x^3-6x^2+10x$이다.	8점
논제 2 (15점) 제시문 (ㄴ)의 함수 $g(x)$가 $x=a$에서 미분가능하므로 $\lim_{x\to a-} g(x)=\lim_{x\to a+} g(x)$이고 $\lim_{x\to a-}\dfrac{g(x)-g(a)}{x-a}=\lim_{x\to a+}\dfrac{g(x)-g(a)}{x-a}$이다. $\lim_{x\to^{-}} g(x)=f(a)$,이므로 $\lim_{x\to a+} g(x)=f(a+b)$, $f(a)=f(a+b)$이고 $\lim_{x\to a-}\dfrac{g(x)-g(a)}{x-a}=f'(a)$ $\lim_{x\to a+}\dfrac{g(x)-g(a)}{x-a}=\lim_{x\to a+}\dfrac{f(x+b)-f(a+b)}{(x+b)-(a+b)}=f'(a+b)$이므로 $f'(a)=f'(a+b)$이다.	5점

이차 방정식 $f'(x)=f'(a)$의 서로 다른 두 실근이 a, $a+b$이고 $f'(x)=3x^2-12x+10$이므로 근과 계수의 관계로부터 두 근 a, $a+b$의 합은 $2a+b=4$, 즉 $a+b=4-a$이다. 그런데 b가 양수이므로 $a<a+b=4-a$, 즉 $a<2$이다. $f(x)-f(a)=(x-a)\left(x^2+(a-6)x+a^2-6a+10\right)$이고 $a+b=4-a$가 방정식 $f(x)-f(a)=0$의 한 근이므로 $(4-a)^2+(a-6)(4-a)+a^2-6a+10=0$이다. 즉, $a^2-4a+2=0$이므로 $a=2\pm\sqrt{2}$이다. $a<2$이므로 $a=2-\sqrt{2}$이고 $b=4-2a=2\sqrt{2}$이다. 따라서 $a=2-\sqrt{2}$, $b=2\sqrt{2}$이다.	10점

[문항 3] **논제 1(20점)** 수열 $\{a_n\}$의 공차를 d_1, 수열 $\{b_n\}$의 공차를 d_2라고 하면, S_n이 $n=19$일 때 최댓값을 가지므로 d_2는 양수가 아님을 알 수 있다. 또한 c_1이 음수이므로, d_1이 양수가 아니면 모든 c_n이 음수이므로 S_n은 $n=1$일 때 최댓값을 가지게 되어 모순이 된다. 따라서 $d_1>0$, $d_2\le 0$이고 $c_{16}=c_{17}+6$에서 $d_2=-6, K\le 16$임을 알 수 있다.	10점
또한 S_n이 $n=19$일 때 최댓값을 가지므로 $c_{19}\ge 0$, $c_{20}\le 0$을 만족한다. 만일 $K\le 11$이라고 하면, $0\le c_{19}=c_{11}+(19-11)d_2$에서 $c_K\ge c_{11}\ge 48$을 만족하고 $c_1=-20$이므로 $S_K=\dfrac{K(-20+c_K)}{2}\ge\dfrac{K(-20+48)}{2}>0$ 이고 $K\le k\le 11$일 때 $c_k\ge c_{11}$이므로 $S_{11}\ge S_K>0$이 되어 모순이다. 따라서 $K>11$이고 $S_{11}=\dfrac{11(-40+10d_1)}{2}=0$으로부터 $d_1=4$임을 알 수 있다. 따라서 $c_7=-20+6d_1=4$이다.	10점

논제 2 (20점) 논제 1로 부터 c_1, $\cdots$, c_K는 공차가 4인 등차수열을 이루고, c_K, c_{K+1}, $\cdots$은 공차가 -6인 등차수열을 이루므로 $n\ge K$를 만족하는 n에 대하여	10점

$c_n = c_K + (n-K)d_2$ $= -20 + 4(K-1) - 6(n-K)$ $= -24 + 10K - 6n$ **이다.**	
$c_{19} \geq 0$, $c_{20} \leq 0$**이므로** $K \geq 13.8$, $K \leq 14.4$ **따라서** $K = 14$**이다.** **이때** $S_{19} = S_{13} + (S_{19} - S_{13})$ $= \dfrac{13 \times (-40 + 4 \times 12)}{2} + \dfrac{6 \times (64 + 5 \times (-6))}{2}$ $= 52 + 102 = 154$	**5점**

II. 기출문제 분석

1. 출제 경향

학년도	교과목	질문 및 주제
2024학년도 수시 논술 (자연·공학·간호)	수학, 수학Ⅰ	이차방정식의 판별식, 내분점, 사인법칙
	수학Ⅱ	미분계수, 극대와 극소, 도함수의 활용, 정적분
	수학Ⅰ	수열, 등차수열, 수열의 합
2024학년도 수시 논술 (의약대)	수학, 수학Ⅰ, 수학Ⅱ, 미적분	평면좌표, 속도, 거리
	미적분	지수함수, 그래프의 개형, 정적분
	수학Ⅰ, 수학Ⅱ	호도법, 삼각함수, 그래프의 대칭성
	수학Ⅰ, 수학Ⅱ	함수의 증가와 감수, 최댓값과 최솟값
2023학년도 수시 논술 (자연·공학·간호)	수학, 수학Ⅱ	복소수와 이차 방정식, 삼차방정식, 이차부등식과 이차함수의 관계
	수학Ⅱ	극대와 극소, 함수의 그래프, 도함수의 활용, 정적분, 미분과 적분의 관계
	수학	평면좌표, 직선의 방정식, 점과 점사이의 거리, 원의 방정식, 원과 직선의 위치 관계
2023학년도 수시 논술 (의약대)	수학, 수학Ⅰ	집합, 제곱근, 로그
	수학, 수학Ⅰ, 수학Ⅱ	원과 직선의 위치관계, 사인법칙, 미분의 활용
	수학Ⅱ, 미적분	정적분, 부분적분법, 치환적분법
	수학, 수학Ⅰ, 미적분	집합, 로그, 급수
2022년도 수시 논술 (자연·공학·간호)	수학, 수학Ⅱ	함수의 극한, 도함수, 인수분해
	수학	경우의 수, 조합
	수학, 수학Ⅱ	이차방정식의 근과 계수의 관계, 극대와 극소, 함수의 그래프, 도함수의 활용

학년도	교과목	질문 및 주제
2022학년도 수시 논술 (의약대)	확률과 통계, 수학Ⅱ	확률, 조건부확률, 무한급수
	수학, 수학Ⅱ, 미적분	수열의 극한, 무리함수, 접선의 방정식, 함수의 연속
	수학, 수학Ⅰ	다항식의 연산, 지수법칙
	수학, 수학Ⅱ, 미적분	치환적분법, 삼각함수의 덧셈정리, 삼각함수의 극한, 급수의 수렴과 발산
2021학년도 수시 논술 (자연·공학·간호)	수학, 수학Ⅱ	도형의 이동, 접선의 방정식, 정적분
	수학, 수학Ⅱ, 미적분	복소수와 그 연산, 삼차방정식, 유리함수, 함수의 최대 최소, 도함수의 활용
	수학, 수학Ⅰ	수열, 수열의 귀납적 정의, 명제
	수학, 수학Ⅱ, 미적분, 확률과 통계	대칭이동, 함수의 증가와 감소, 연속확률변수, 확률밀도함수
2021학년도 수시 논술 (의약대)	수학, 확률과 통계	경우의 수, 확률, 조건부확률
	문제오류	대학 출제 오류로 만점처리
	수학, 수학Ⅰ, 확률과 통계	소수, 소인수분해, 정수, 순열과 조합, 원순열, 여러가지 수열의 합
	수학Ⅱ	연속, 극대, 극소, 함수의 증가와 감소, 도함수의 활용, 함수의 그래프, 부정적분, 정적분

III. 논술이란?

1. 논술이란?

1) 논술이란?

어떤 문제에 대해 자기 나름의 주장이나 견해를 내세운 다음, 여러 가지 근거를 제시하여 그 주장이나 견해가 옳음을 증명하는 글쓰기 활동을 말한다. 따라서 논술의 가장 기본적인 요소는 주장과 근거이다. 다시 말해 어떤 주제에 관해서 자신의 견해를 밝히고 자기 의견을 내세우는 글이 바로 논술이다. 때문에 논술은 특별히 논리적이어야 한다는 요구를 받게 된다. 왜냐하면 여러 가지 의견이 있을 수 있는 문제에 대해 자신의 의견을 세워 다른 사람을 설득하려면, 그 주장이 충분한 근거 위에서 논리적으로 개진될 때만 가능하기 때문이다.

2) 대한민국 논술고사는?

한국에서의 대학 입시 논술고사는 실제 교과 과정과 교과서가 기본이 되어 응용된 사고와 풀이 능력과 지식을 바탕으로 한다. 논술고사는 일반적을 비판적으로 글을 읽는 능력과 창의적으로 문제를 설정하고 해결하는 능력 그리고 논리적으로 서술하는 능력을 종합적으로 평가하는 시험이다. 비판적으로 글을 읽는다는 것은 능동적으로 자신의 관점에서 글을 읽는 것을 말하며, 창의적으로 문제를 설정하고 해결하는 능력이란 심층적이고 다각적으로 논제에 접근함으로써 독창적인 사고와 풀이를 이끌어낼 수 있는 능력을 말한다. 그리고 논리적 서술 능력은 글 구성 능력, 근거 설정 능력, 표현 능력 등을 포괄한다.

3) 자연계 논술? 그리고 그 변화

모든 글은 일반적으로 3가지 종류로 나눠어진다. 시, 소설 등 문학 작품과 같은 글쓰기인 창작적 글쓰기(creative writing)와 설명문이나 해설문의 글쓰기는 해명적 글쓰기(expository writing), 그리고 논설문의 글쓰기인 비판적 글쓰기(critical writing)가 있다. 이 글쓰기 중 대한민국의 대학입시에서 시행되고 있는 자연계 논술은 창작적 글쓰기는 포함되지 않는다. 새로운 문학 작품을 쓰는게 아니라 제시문을 읽고 내용을 구체화시켜 잘 설명하는 설명문의 형태가 있고, 주어진 문제에 대해 생각하고 깊이있는 주장을 피력하는 비판적 글쓰기도 있다.

2. 논술의 기본 용어

1) 논제 : 논술의 문제를 의미한다.

반드시 해결하고 접근하여야 할 논술 시험의 대상이다.

(ㄱ) 중심 논제 : 채점할 때 가장 배점이 높으며, 핵심적으로 해결해야 할 논술의 문제

(ㄴ) 세부 논제 : 큰 논제 속에 포함된 작은 문제, 각 단계별 채점의 기준이 되며 세부 채점 항목으로 필수 해결 항목이다.

2) 논거 : 논술에서 설명하고 주장하는 논리적인 근거 혹은 이유

3) 주장 : 수험생이 생각하고 채점자에게 알리고 싶은 생각
4) 제시문 : 보기 지문을 말한다.
(ㄱ) 출제자가 논제 해결을 위해 보여주는 다양한 글
(ㄴ) 각종 그래프, 도표, 그림 등
자료가 정해져 있지는 않다. 하지만 고등학교 교과서를 가장 많이 인용하고, 고등학교 교과 과정으로 분석하고 판단할 수 있는 내용을 제시한다.
5) 개요 : 논제에 맞게 더 구체적으로는 세부 논제에 맞게 글의 진행 방향을 간략하게 정리하는 과정이다.

2. 논술의 명령어

논술고사 후 대학의 발표 자료를 보면 논술은 출제자의 의도에 부합하게 글을 써야 한다고 강조한다. 그런데 출제자의 의도를 파악하는 것은 자칫 상당히 모호하고 주관적인 것으로 판단하기 쉽다.

하지만 자연계 논술에서는 명령어가 한정되어 있다. 그 명령어들을 잘 익히고 의미를 파악한다면 훨씬 논술의 이해가 높아질 것이다. 또한 대학의 채점 기준에는 명령어의 요구조건을 충족하는지를 평가한다. 그러므로 자연계 논술의 명령어는 수험생에게는 아주 기초적이지만 필수적이며 절대 잊지 말아야 할 중요한 핵심이다.

1) ~ 에 대해 논술하시오.

; 주장을 밝히고 근거를 제시한다.

2) ~ 에 대해 설명하시오.

: 사실, 주장 등을 쉽게 풀어서 밝힌다.

- **~ 제시문 간의 관련성을 설명하시오.**
- **~ 제시문의 논리적 타당성과 문제점을 설명하시오.**
- **~ 제시문을 참고하여 주어진 자료의 특징을 설명하시오.**
- **~ 제시문의 관점에서 왜 그런 현상이 생기는지 그 이유를 설명하시오.**

3) ~ 의 비교하시오. 혹은 대조하시오.

: 공통점과 차이점을 중심으로 설명한다.

- **~ 공통점과 차이점을 설명하시오.**

4) ~ 을 분석하시오.

: 주제를 구성요소로 나누고 각 부분의 의미와 상호관계를 밝힌다.

5) ~ 제시문과 주어진 자료를 참고하여 현상을 예측해 보시오.

: 주어진 자료를 해석하고 자료로부터 얻을 수 있는 시간에 따른 변화나 자료의 발생 이유를 살핀다.

6) ~ 제시문의 문제점을 지적하고 그 문제점을 해결할 방법을 제시하시오.

: 보통은 수학이나 과학의 역사에서 발생했던 여러 오류나 실험과정에서 나타난

문제점을 가지고 있다. 또한 이론이나 실험, 학생의 실험보고서 등과 같이 확실한 오류가 있는 제시문을 주기도 한다. 분명히 문제점을 파악하여 답안에 서술하고 문제점이나 해결할 수 있는 방법 등을 명확히 하여야 한다.

● ~ 제시문의 관점에서 왜 그런 현상이 생기는지 그 원리를 설명하고 그런 현상을 예방할 수 있는 방안을 제시하시오. **● ~ 문제점을 지적하고 합리적 대안을 제안해 보시오.** **● ~ 주어진 관점을 검증할 수 있는 방법을 논하시오.** **● ~ 주어진 문제점을 해결할 수 있는 실험을 설계해 보시오.**

7) 제시문의 관점에서 주장을 비판하시오.

: 어떤 주장의 타당성이나 가치 등을 평가한다.

3. 자연계 논술 글쓰기 유의사항

① 논제의 해결이 핵심이다. 출제자가 원하는 답을 써야 한다.

② 논제에 부합하는 글을 일관성 있게 써야 한다.

③ 한편의 글을 완성하여야 한다. 나열하거나 사례를 보여주는 것은 의미가 없다.

④ 제시문을 활용, 인용하는 것과 제시문을 그대로 옮겨 쓰는 것은 다르다. 적절하게 제시문의 내용을 사용하여 논제를 해결하여야 한다. 절대 제시문의 문장을 그대로 쓰면 안 된다. 금기사항이고 감점요인이다.

⑤ 부적절한 문장 즉, 비문을 만들지 말아야 한다. 주어와 서술어가 적절하게 있어 문장의 의미를 명확히 전달하여야 한다. 주어를 생략하거나 지시어를 과도하게 사용하면 문장의 의미가 모호해 진다.

⑥ 문장은 짧고 간결하게 써야 한다. 자신의 의견을 명확히 간결하고 효과적으로 밝혀야 한다.

4. 논술 확인 사항

1. 답안지는 지급된 흑색 볼펜으로 원고지 사용법에 따라 작성하여야 합니다.
(수정액 및 수정테이프 사용 금지)
2. 수험번호와 생년월일을 숫자로 쓰고 컴퓨터용 사인펜으로 ● 표기하여야 합니다.
3. 답안의 작성 영역을 벗어나지 않도록 각별히 유의 바라며, 인적사항 및 답안과
. 관계없는 표기를 하는 경우 결격 처리 될 수 있습니다.
4. 제시된 작성 분량 미 준수 시 감점 처리됨을 유의 바랍니다.

IV. 자연계 논술 실전

1. 각 대학별 논술 유의사항을 파악하라!

많은 대학에서 글자수 제한을 확인하여야 한다. 그래서 원고지 형이 많지만, 문항별 칸을 만들거나 밑줄 답안 형식도 있다. 논술 시험 시간은 각 대학별로 다양하다. 60분 즉, 한 시간을 시작으로 많게는 2시간까지 (120분)까지 다양하게 있다. 대학별로 준비해야 하는 중요한 이유이다. 답안을 작성하는 필기구도 다양하다. 연필(샤프펜)의 사용이 꾸준히 증가하지만 아직까지 검정색 볼펜이나 청색 볼펜으로 사용하는 학교도 많다. 주의할 것은 수정법이다. 수정은 학교에 따라 수정액, 수정테이프의 사용을 제한하는 경우도 있고 틀리면 두줄을 긋고 써야 하는 곳도 있다. 그러므로 각 대학별 특징을 파악하고, 미리 답안 작성 연습은 물론이고 작성할 때도 대학별로 금지하는 내용을 숙지하고 시험장에 가야 한다.

각 대학별 유의사항 사례
사례 1) **가. 답안은 한글로 작성하되, 글자수 제한은 없다.** **나. 제목은 쓰지 말고 특별한 표시를 하지 말아야 한다.** **다. 제시문 속의 문장을 그대로 쓰지 말아야 한다.** **라. 반드시 본 대학교에서 지급한 필기구를 사용하여야 한다.** **마. 수정할 부분이 있는 경우 수정도구를 사용하지 말고 원고지 교정법에 의하여 교정하여야 한다.** **바. 본 대학교에서 지급한 필기구를 사용하지 않거나, 수정도구를 사용한 경우, 답안지에 특별한 표시를 한 경우, 또는 원고지의 일정분량 이상을 작성하지 않은 경우에는 감점 또는 0점 처리한다.** **사례 2)** **Ⅰ. 필요한 경우 한 개 또는 여러 개의 제시문을 선택하여 논의를 전개하고, 사용한 제시문은 꼭 참고문헌 형태로 표시하시오.** **예) …[제시문 1-4].** **예) …되며[제시문 2-4], …의 경우는 ~을 보여준다[제시문 2-1].** **Ⅱ. [문제 1]부터 [문제 4]까지 문제 번호를 쓰고 순서대로 답하시오.** **Ⅲ. 연필을 사용하지 말고, 흑색이나 청색 필기구를 사용하시오.** **Ⅳ. 인적사항과 관련된 표현을 일절 쓰지 마시오.** **Ⅴ. 문제당 배점은 동일함.** **사례 3)** **◇ 각 문제의 답안은 배부된 OMR 답안지에 표시된 문제지 번호에 맞춰 작성하시오.** **◇ 각 문제마다 정해진 글자수(분량)는 띄어쓰기를 포함한 것이며, 정해진 분량에 미달하**

거나 초과하면 감점 요인이 됩니다.
◇ 답안지의 수험번호는 반드시 컴퓨터용 수성 사인펜으로 표기하시오.
◇ 답안은 검정색 필기구로 작성하시오. (연필 사용 가능)
◇ 답안 수정시 원고지 교정법을 활용하시오. (수정 테이프 또는 연필지우개 사용 가능)
◇ 답안 내용 및 답안지 여백에는 성명, 수험번호 등 개인 신상과 관련된 어떤 내용, 불필요한 기표하면 감점 처리됩니다.

사례 4)
◆ 답안 작성 시 유의사항 ◆
□ 논술고사 시간은 90분이며, 답안의 자수 제한은 없습니다.
□ 1번 문항의 답은 답안지 1면에 작성해야 하고, 2번 문항의 답은 답안지 2면에 작성해야 합니다. 1, 2번을 바꾸어 작성하는 경우 모두 '0점 처리'됩니다.
□ 연습지는 별도로 제공하지 않습니다. 필요한 경우 문제지의 여백을 이용하시기 바랍니다.
□ 답안은 검정색 또는 파란색 펜으로만 작성하며 연필, 샤프는 사용할 수 없습니다.
□ 답안 수정은 수정할 부분에 두 줄로 긋거나 수정테이프(수정액은 사용 불가)를 사용해서 수정합니다.
□ 답안지에는 답 이외에 아무 표시도 해서는 안 됩니다.
□ 답안지 교체는 고사 시작 후 70분까지 가능하며, 그 이후는 교체가 불가합니다.

2. 제시문에 먼저 눈을 두지 말고 문제를 파악하라!!!

대학별 고사인 논술의 어려운 점은 시간의 제한이 있는 글쓰기 시험이라는 것이다. 자유롭게 잘 쓸 수 있는 내용일지라도 시간의 제한이 있으면 얘기가 달라진다. 특히 지금과 같이 각 대학별로 다양하게 등장하는 시험에 익숙하지 않은 수험생에게는 더 큰 부담으로 작용을 한다.

대학에서는 다양하게 제시문과 문제를 분포시킨다. 문제를 등장시키고 제시문이 등장하는 경우, 그림과 도표, 그래프 등과 같이 자료를 제시하고 제시문과 문제를 함께 등장시키는 경우, 제시문을 많이 등장시키고 마지막에 문제를 제시하는 경우 등... 이렇듯 다양한 문제에 시간의 적절한 활용은 대학별 고사의 실전에서는 당락을 결정하는 중요 요소이다.

이러한 실전적 논술에서 핵심은 바로 목적을 가지고 제시문의 읽기가 선행되어야 한다. 글 읽기의 핵심은 문제을 통해 논제를 구체적으로 파악하고 그 논제에 부합하게 제시문을 분석하는 것이다.

① 문제를 먼저 확인하라!! - 제시문을 읽고 문제를 보면 다시 긴 제시문을 또 읽어 시간을 낭비한다.
② 세부 논제 확인하라!! - 한 문제라도 그 문제 속에 다루는 논제는 여러 개가 될 수 있

다. 그 질문 내용을 파악하라. 그리고 요구한 논제에 맞게 글을 구성한다.

③ 전제적 요건 파악하라!! - 각 문제의 전제적 요건 및 글로 표현된 부연 설명 등이 중요한 키워드가 될 수 있다.

V. 가톨릭대학교 기출

1. 2024학년도 가톨릭대 수시 논술 (자연, 공학, 간호)

[문항 1] 제시문 (ㄱ) (ㄷ)을 읽고 문제(논제 1, 논제 2)에 답하시오. (30점)

(ㄱ) 각 변의 길이가 자연수인 삼각형 ABC는 다음을 만족시킨다.

$$\sin C\cos(B+C)+\sin B=0$$

(ㄴ) 제시문 (ㄱ)의 삼각형 ABC에 대하여 내접원의 반지름을 r, 외접원의 반지름을 R, 선분 AB의 길이를 c라고 하자.

(ㄷ) 제시문 (ㄱ)의 삼각형 ABC가 다음을 만족시킬 때, 선분 BC의 길이를 a라고 하자.

> 삼각형 ABC의 내접원이 선분 AB와 만나는 점을 P라고 할 때, 점 P는 선분 AB를 $m:n$으로 내분한다. (단, m, n은 3이하의 자연수이다.)

논제 1. (15점) 제시문 (ㄴ)의 R, c에 대하여 $\frac{c}{R}$의 값을 구하고 그 근거를 논술하시오.

논제 2. (15점) 제시문 (ㄴ)의 r의 값이 2일 때, 제시문 (ㄷ)의 a의 값으로 가능한 것을 모두 구하고 그 근거를 논술하시오.

[문항 2] 제시문 (ㄱ) (ㄷ)을 읽고 문제(논제 1, 논제 2)에 답하시오. (35점)

(ㄱ)삼차함수 $f(x)$는 다음을 만족시킨다.

(가) 모든 실수 x에 대하여 $f(x)+f(-x)=4$
(나) $f'(0)>0$이고 $f'(1)-f'(0)=-3$

(ㄴ) 실수 k와 제시문 (ㄱ)의 함수 $f(x)$에 대하여 방정식 $f(x)=k$의 서로 다른 실근의 개수를 $A(k)$라고 하자.

(ㄷ) 제시문 (ㄱ)의 함수 $f(x)$에 대하여 제시문 (ㄴ)의 $A(k)$가 다음을 만족시킬 때, $I=\int_0^2 f(x)dx$라고 하자.

(가) $A(0) \geq A(18) \geq A(20)$
(나) $A(0)-A(18)=A(20)$

논제 1. (10점) 제시문 (ㄱ)의 함수 $f(x)$에 대하여 $f(x)$의 최고차항의 계수를 구하고 그 근거를 논술하시오.

논제 2. (25점) 제시문 (ㄷ)의 I의 값으로 가능한 것을 모두 구하고, 그 근거를 논술하시오.

[문항 3] 제시문 (ㄱ) (ㄷ)을 읽고 문제(논제 1, 논제 2)에 답하시오. (35점)

(ㄱ) 첫째항이 양의 실수 a이고 공차가 b인 등차수열 $\{a_n\}$에 대하여, $a_k + a_m = 0$을 만족시키는 순서 쌍 $(k,\ m)$(단, $k < m$)의 개수가 한 개 또는 두 개가 되도록 하는 공차 b중 가장 큰 값을 d라고 하자.

(ㄴ) 제시문 (ㄱ)의 a, d에 대하여 수열 $\{b_n\}$이 첫째항이 a이고 공차가 d인 등차수열일 때, S는 다음과 같다.

$$S = \sum_{k=1}^{52} \frac{1}{\sqrt{|b_k|} + \sqrt{|b_{k+1}|}}$$

논제 1. (20점) 제시문 (ㄱ)의 a, d에 대하여 d를 a에 대한 식으로 나타내고 그 근거를 논술하시오.

논제 2. (15점) 제시문 (ㄴ)의 a, S에 대하여 $S=3$일 때, a의 값을 구하고 그 근거를 논술하시오.

지원학부(과)

수험번호				

주민등록번호 앞6자리(예:040512)					

성명

문항 【1】 반드시 해당 문항의 답을 작성해야 함

1

이 줄 아래에 답안을 작성하거나 낙서할 경우 판독이 불가능하여 채점 불가

이 줄 위에 답안을 작성하거나 낙서할 경우 판독이 불가능하여 채점 불가

문항 【2】 문항 해당 문항의 답을 작성해야 함

2

이 줄 아래에 답안을 작성하거나 낙서할 경우 판독이 불가능하여 채점 불가

이 줄 위에 답안을 작성하거나 낙서할 경우 판독이 불가능하여 채점 불가

문항 【3】 반드시 해당 문항의 답을 작성해야 함

3

이 줄 아래에 답안을 작성하거나 낙서할 경우 판독이 불가능하여 채점 불가

2. 2024학년도 가톨릭대 수시 논술 (의예, 약학)

[문항 1] 제시문 (ㄱ) ~ (ㅁ)을 읽고 논제에 답하시오. (170점)

(ㄱ) 좌표평면 위를 움직이는 점 P(x, y)의 시각 $t(t \geq 0)$에서의 위치는 다음과 같다.

$$x = 2\sin t - (2t - \pi)\cos t$$

$$y = 2\cos t + (2t - \pi)\sin t$$

(ㄴ) 제시문 (ㄱ)의 점 P에서 x축과 y축에 내린 수선의 발을 각각 Q와 R이라고 하면, 점 P가 움직일 때 점 Q는 x축 위에서 직선 운동을 하고 점 R은 y축 위에서 직선 운동을 한다.

(ㄷ) 양수 a에 대하여 제시문 (ㄱ)의 점 P의 시각 $t = a$에서의 속력은 시각 $t = 0$에서의 속력의 3배이다. 이때 실수 s는 다음과 같다.

s는 $t = 0$에서 $t = a$까지 점 P가 움직인 거리이다.

(ㄹ) 양수 b에 대하여 제시문 (ㄴ)의 점 Q는 시각 $t = 0$일 때 출발하여 시각 $t = b$에서 Q의 운동 방향을 두 번째로 바꾼다. 이때 실수 d는 다음과 같다.

d는 $t = 0$에서 $t = b$까지 점 Q가 움직인 거리이다.

(ㅁ) 양수 c에 대하여 제시문 (ㄴ)의 점 R은 시각 $t = 0$일 때 출발하여 시각 $t = c$에서 R의 운동 방향을 두 번째로 바꾼다. 이때 실수 l은 다음과 같다.

l은 $t = 0$에서 $t = c$까지 점 R이 움직인 거리이다.

논제. (170점) 제시문 (ㄷ)~(ㅁ)의 s, d, l의 값을 각각 구하고 그 근거를 논술하시오.

[문항 2] 제시문 (ㄱ) ~ (ㄹ)을 읽고 논제에 답하시오. (170점)

(ㄱ) 실수 t에 대하여 곡선 $y=e^{2x}$ 위의 점 $(t,\ e^{2t})$에서의 접선의 방정식을 $y=f(x)$라고 하자.

(ㄴ) 제시문 (ㄱ)의 실수 t와 함수 $f(x)$에 대하여 함수 $g(x)=|f(x)+k-2\ln x|$가 구간 $(0,\ \infty)$에서 미분가능하도록 하는 실수 k의 최솟값을 $m(t)$라 하자. 이때 함수 $h(t)$는 다음과 같다.

$$h(t)=e^{-t}(m(t)+2t+1)$$

(ㄷ) 두 실수 a, $b(a<b)$와 제시문 (ㄴ)의 함수 $h(t)$에 대하여 실수 s는 다음과 같다.

$$s=\int_a^b (t-1)^2 h(t)\,dt$$

(ㄹ) 두 실수 α, $\beta(\alpha<\beta)$와 제시문 (ㄷ)의 실수 a, b, s에 대하여 $a=\alpha$, $b=\beta$일 때, s의 값이 최소가 된다.

논제. (170점) 제시문 (ㄹ)의 두 실수 α, β에 대하여 $\alpha+\beta$의 값을 구하고 그 근거를 논술하시오.

[의예과 문항3] 제시문 (ㄱ) ~ (ㅁ)을 읽고 논제에 답하시오. (180점)

(ㄱ) 자연수 $n(1 \le n \le 500)$에 대하여 실수 a는 다음과 같다.

$$a = \sin\left(\frac{n+1}{100}\right) + \sin\left(\frac{n+2}{100}\right) + \sin\left(\frac{n+3}{100}\right) + \cdots + \sin\left(\frac{n+100}{100}\right)$$

(ㄴ) 제시문 (ㄱ)의 n과 a에 대하여 a의 값이 최대가 되도록 하는 n의 값을 m이라고 하자.

(ㄷ) 제시문 (ㄴ)의 자연수 m에 대하여 실수 b는 다음과 같다.

$$b = \cos\left(\frac{m+1}{100}\right) + \cos\left(\frac{m+2}{100}\right) + \cos\left(\frac{m+3}{100}\right) + \cdots + \cos\left(\frac{m+100}{100}\right)$$

(ㄹ) 제시문 (ㄷ)의 실수 b에 대하여 집합 A는 다음과 같다.

$$A = \{k | 2b - k > 0,\ k\text{는정수}\}$$

(ㅁ) [삼각함수의 성질과 원주율]

(가) $\sin\left(\frac{\pi}{2}+x\right) = \sin\left(\frac{\pi}{2}-x\right)$, $\cos\left(\frac{\pi}{2}+x\right) = -\cos\left(\frac{\pi}{2}-x\right)$

(나) 원주율 π의 값은 $\pi = 3.141592\cdots$임이 알려져 있고, $1.570 < \frac{\pi}{2} < 1.571$이다.

논제. (180점) 제시문 (ㄹ)의 집합 A의 원소 중 가장 큰 값을 구하고 그 근거를 논술하시오.

[의예과 문항 4, 약학과 문항 3] 제시문 (ㄱ) ~ (ㄷ)을 읽고 논제에 답하시오. (180점)

(ㄱ) 실수 a에 대하여 함수 $f(x)$는 다음과 같다.

$$f(x)=\begin{cases} x^3-ax^2-a^2x+4a+2a^2 & (x \ge 0) \\ -(a+4)^2x+4a+2a^2 & (x<0) \end{cases}$$

(ㄴ) 양수 k와 제시문 (ㄱ)의 실수 a, 함수 $f(x)$에 대하여 닫힌구간 $[-k, k]$에서 $f(x)$의 최댓값을 $g(a)$라고 하자.

(ㄷ) 제시문 (ㄴ)의 양수 k와 함수 $g(a)$에 대하여 구간 $(-\infty, \infty)$에서 $g(a)$의 최솟값을 m이라고 할 때, 다음 조건을 만족시키는 k값의 전체의 집합을 A라고 하자.

$g(a)=m$을 만족시키는 a의 값은 단 하나만 존재한다.

논제. (180점) 제시문 (ㄷ)의 집합 A의 원소가 아닌 양수 k의 값을 모두 구하고 그 근거를 논술하시오.

지원학부(과)

수험번호

주민등록번호 앞6자리(예:040512)

성명

문항 【1】 반드시 해당 문항의 답을 작성해야 함

이 줄 아래에 답안을 작성하거나 낙서할 경우 판독이 불가능하여 채점 불가

이 줄 위에 답안을 작성하거나 낙서할 경우 판독이 불가능하여 채점 불가

【2】 문항 반드시 해당 문항의 답을 작성해야 함

2

이 줄 아래에 답안을 작성하거나 낙서할 경우 판독이 불가능하여 채점 불가

이 줄 위에 답안을 작성하거나 낙서할 경우 판독이 불가능하여 채점 불가

【3】 문항 반드시 해당 문항의 답을 작성해야 함

3

이 줄 아래에 답안을 작성하거나 낙서할 경우 판독이 불가능하여 채점 불가

이 줄 위에 답안을 작성하거나 낙서할 경우 판독이 불가능하여 채점 불가

문항 【4】 반드시 해당 문항의 답을 작성해야 함

4

이 줄 아래에 답안을 작성하거나 낙서할 경우 판독이 불가능하여 채점 불가

3. 2024학년도 가톨릭대 모의 논술

[문항 1] 제시문 (ㄱ) (ㄴ)을 읽고 문제 (논제 1)에 답하시오. (30점)

(ㄱ) 중심이 O이고 반지름이 2인 원에 내접하는 삼각형 ABC는 다음을 만족시킨다.

$$4\sin B\sin(A+C)=3$$

(ㄴ) 제시문 (ㄱ)의 삼각형 ABC에 대하여 점 D가 다음을 만족시킬 때, 삼각형 ACD의 둘레의 길이를 L이라고 하자.

(가) 점 D는 제시문 (ㄱ)의 원 위의 점이다.
(나) 삼각형 ACD의 넓이는 삼각형 AOC의 넓이의 3배이다.

논제 1 (30점) 제시문 (ㄴ)의 삼각형 ACD의 둘레의 길이를 L의 값을 구하고 그 근거를 논술하시오.

[문항 2] 제시문 (ㄱ) (ㄴ)을 읽고 문제(논제 1, 논제 2)에 답하시오. (30점)

(ㄱ) 최고차항의 계수가 1인 삼차함수 $f(x)$가 다음 조건을 만족시킨다.

> (가) $f(0)=0$, $f'(1)=1$
> (나) 방정식 $f(x)-x=0$의 서로 다른 실근의 개수는 2이다.
> (다) 함수 $f(x)$는 극값을 가진다.

(ㄴ) 제시문 (ㄱ)의 함수 $f(x)$와 양의 실수 a, b에 대하여 함수 $g(x)$는 다음 조건을 만족시킨다.

> (가) $x \le a$일 때 $g(x)=f(x)$이고
> $x > a$일 때 $g(x)=f(x+b)$이다.
> (나) 함수 $g(x)$는 실수 전체의 집합에서 미분가능하다.

논제 1 (15점) 제시문 (ㄱ)의 함수 $f(x)$를 구하고 그 근거를 논술하시오.

논제 2 (15점) 제시문 (ㄴ)의 a, b의 값을 구하고 그 근거를 논술하시오.

[문항 3] 제시문 (ㄱ) (ㄴ)을 읽고 문제(논제 1, 논제 2)에 답하시오. (40점)

(ㄱ) 수열 $\{a_n\}$, $\{b_n\}$, $\{c_n\}$은 자연수 K에 대하여 다음 조건을 만족시킨다.

(가) 수열 $\{a_n\}$, $\{b_n\}$은 모두 등차수열이고 $a_K = b_K$이다.
(나) $k \le K$인 k에 대하여 $c_k = a_k$이다.
(다) $k \ge K$인 k에 대하여 $c_k = b_k$이다.

(ㄴ) 제시문 (ㄱ)의 수열 $\{c_n\}$에 대하여 $S_n = \sum_{k=1}^{n} c_k$라고 할 때, S_n과 수열 $\{c_n\}$은 다음 조건을 만족시킨다.

(가) $c_1 = -20$, $c_{12} > c_{11}$, $c_{16} = c_{17} + 6$
(나) $S_{11} = 0$
(다) S_n의 최댓값은 S_{19}이다.

논제 1 (20점) 제시문 (ㄴ)의 수열 $\{c_n\}$에 대하여 c_7의 값을 구하고 그 근거를 논술하시오.

논제 2 (20점) 제시문 (ㄴ)의 S_{19}의 값을 구하고 그 근거를 논술하시오.

지원학부(과)

수 험 번 호				

주민등록번호 앞6자리(예:040512)					

성 명

문항 【1】 반드시 해당 문항의 답을 작성해야 함

1

이 줄 아래에 답안을 작성하거나 낙서할 경우 판독이 불가능하여 채점 불가

이 줄 위에 답안을 작성하거나 낙서할 경우 판독이 불가능하여 채점 불가

문항 【2】 반드시 해당 문항의 답을 작성해야 함

2

이 줄 아래에 답안을 작성하거나 낙서할 경우 판독이 불가능하여 채점 불가

이 줄 위에 답안을 작성하거나 낙서할 경우 판독이 불가능하여 채점 불가

문항 【3】 반드시 해당 문항의 답을 작성해야 함

3

이 줄 아래에 답안을 작성하거나 낙서할 경우 판독이 불가능하여 채점 불가

4. 2023학년도 가톨릭대 수시 논술 (자연, 공학, 간호)

[문항 1] 제시문 (ㄱ) (ㄴ)을 읽고 문제(논제 1, 논제 2)에 답하시오. (30점)

(ㄱ) 함수 $f(x)$와 실수 k, 복소수 z는 다음 조건을 만족시킨다. (단, $i=\sqrt{-1}$)

> (가) $f(x)=2x^3-2(k+2)x^2+(k^2+4k-6)x-2k^2+12$
> (나) $3z-1$은 방정식 $f(x)=0$의 한 허근이다.
> (다) $3z-1$은 $2z-\frac{5}{3}i$의 켤레복소수이다.

(ㄴ) 제시문 (ㄱ)의 함수 $f(x)$에 대하여 다음 조건을 만족시키는 모든 실수 a의 값의 집합을 S라 하자.

> 모든 실수 x에 대하여 $|ax^2-2(a+3)x+11|\le\frac{|f'(x)|}{2}$이다.

논제 1. (15점) 제시문 (ㄱ)의 k의 값을 구하고 그 근거를 논술하시오.

논제 2. (15점) 제시문 (ㄴ)의 집합 S를 구하고 그 근거를 논술하시오.

[문항 2] 제시문 (ㄱ) ~ (ㄷ)을 읽고 문제(논제 1, 논제 2)에 답하시오. (30점)

(ㄱ) 최고차항의 계수가 1인 사차함수 $f(x)$는 다음 조건을 만족시킨다.

(가) $f(0)=0$

(나) 임의의 실수 t에 대하여 $\int_0^t f(5+x)dx=\int_0^t f(5-x)dx$이다.

(다) $f(x)$는 $x=10$에서 극값을 가진다.

(ㄴ) 제시문 (ㄱ)의 함수 $f(x)$에 대하여 실수 M은 다음 조건을 만족시킨다.

실수 k에 대하여 방정식 $f(x)=k$의 서로 다른 양의 실근의 개수를 n이라 할 때,

(가) $0<k<M$이면 $n=3$

(나) $k>M$이면 $n=1$

(ㄷ) 제시문 (ㄱ)의 함수 $f(x)$에 대하여 실수 a, b, c는 다음 조건을 만족시킨다.

(가) $0<a<b<c$

(나) $f(a)=f(b)=f(c)$

(다) $c-a=\sqrt{70}$

논제 1. (15점) 제시문 (ㄴ)의 M의 값을 구하고 그 근거를 논술하시오.

논제 2. (15점) 제시문 (ㄱ)의 함수 $f(x)$와 제시문 (ㄷ)의 a에 대하여 $f(a)$의 값을 구하고 그 근거를 논술하시오.

[문항 3] 제시문 (ㄱ) (ㄷ)을 읽고 문제(논제 1, 논제 2)에 답하시오. (40점)

(ㄱ) 좌표평면 위의 두 점 A$(-5, 0)$, B$(-4, 3)$에 대하여 두 점 C, D는 다음 조건을 만족시킨다.

> (가) 원 $x^2+y^2=9$위의 두 점 C, D에서의 접선은 모두 점 A를 지난다.
> (나) $\overline{BC}<\overline{BD}$

(ㄴ) 제시문 (ㄱ)의 네 점 A, B, C, D에 대하여 삼각형 ABC와 삼각형 ABD의 넓이 중 더 큰 값을 S라 하자.

(ㄷ) 제시문 (ㄱ)의 점 A와 다음 조건을 만족시키는 모든 점 P, Q에 대하여 삼각형 APQ의 넓이의 최댓값을 M이라 하자.

> (가) 두 점 P, Q는 원 $x^2+y^2=18$위에 있다.
> (나) $\overline{PQ}=6$
> (다) 세 점 A, P, Q는 한 직선 위에 있지 않다.

논제 1. (20점) 제시문 (ㄴ)의 S의 값을 구하고 그 근거를 논술하시오.

논제 2. (20점) 제시문 (ㄷ)의 M의 값을 구하고 그 근거를 논술하시오.

지원학부(과)

수 험 번 호				

주민등록번호 앞6자리(예:040612)					

성 명

문항 【1】 반드시 해당 문항의 답을 작성해야 함

1

이 줄 아래에 답안을 작성하거나 낙서할 경우 판독이 불가능하여 채점 불가

이 줄 위에 답안을 작성하거나 낙서할 경우 판독이 불가능하여 채점 불가

문항 【2】 반드시 해당 문항의 답을 작성해야 함

2

이 줄 아래에 답안을 작성하거나 낙서할 경우 판독이 불가능하여 채점 불가

이 줄 위에 답안을 작성하거나 낙서할 경우 판독이 불가능하여 채점 불가

문항 【3】 반드시 해당 문항의 답을 작성해야 함

3

이 줄 아래에 답안을 작성하거나 낙서할 경우 판독이 불가능하여 채점 불가

5. 2023학년도 가톨릭대 수시 논술 (의예, 약학)

[문항 1] 제시문 (ㄱ) ~ (ㄹ)을 읽고 논제에 답하시오. (160점)

(ㄱ) 다음 조건을 만족시키는 모든 실수 k의 집합을 A라고 하자.

> 모든 실수 x에 대하여 $\log_{\left(\frac{1}{2}k-5\right)}\{-(k-11)x^2+(k-11)x+2\}$가 정의된다.

(ㄴ) 제시문 (ㄱ)의 집합 A에 대하여 집합 B를 다음과 같이 정의한다.

> $B=\left\{(m,\ n)\,\middle|\,\frac{1}{3}m^2+n\in A,\ n>1,\ m$과 n은 정수$\right\}$

(ㄷ) 제시문 (ㄴ)의 집합 B에 대하여 집합 C를 다음과 같이 정의한다.

> $C=\{(m,\ n)|(m,\ n)\in B$ 이고, $x^n=m$을 만족하는 실수 x가 존재한다.$\}$

(ㄹ) **[a의 n제곱근]** n이 2이상의 정수일 때, n제곱하여 실수 a가 되는 수, 즉 $x^n=a$를 만족시키는 수 x를 a의 n제곱근이라고 한다.

논제. (160점) 제시문 (ㄷ)의 집합 C의 원소의 개수를 구하고 그 근거를 논술하시오.

[문항 2] 제시문 (ㄱ) ~ (ㄹ)을 읽고 논제에 답하시오. (170점)

(ㄱ) 좌표평면 위의 원 C_1, C_2는 다음과 같다.

$$C_1 : (x-1)^2 + y^2 = \frac{1}{5}$$

$$C_2 : (x+2)^2 + (y+3)^2 = \frac{4}{5}$$

(ㄴ) 제시문 (ㄱ)의 원 C_1, C_2에 동시에 접하는 직선 중 기울기가 최대인 직선을 l, 최소인 직선을 m이라 하자.

(ㄷ) 제시문 (ㄱ)의 원 C_1, C_2와 제시문 (ㄴ)의 직선 l, m에 대하여 정의역이 열린구간 (0, 1)인 함수 $f(t)$, $g(t)$를 다음과 같이 정의한다.

(가) 직선 l이 원 C_1에 접하는 점을 A_1, 직선 m이 원 C_2에 접하는 점을 A_2라 하자.

(나) 직선 m을 y축의 방향으로 t만큼 평행 이동한 직선과 원 C_1의 두 교점을 P_1, Q_1이라 할 때, $f(t) = \sin(\angle P_1 A_1 Q_1)$이다. (단, $0 < t < 1$)

(다) 직선 l을 y축의 방향으로 t만큼 평행 이동한 직선과 원 C_2의 두 교점을 P_2, Q_2라 할 때, $g(t) = \sin(\angle P_2 A_2 Q_2)$이다. (단, $0 < t < 1$)

(ㄹ) 제시문 (ㄷ)의 함수 $f(t)$와 $g(t)$에 대하여 실수 M은 다음 조건을 만족시킨다.

정의역이 열린구간 (0, 1)인 함수 $y = f(t)g(t)$는 $t = M$에서 최댓값을 갖는다.

논제. (170점) 제시문 (ㄹ)의 M의 값을 구하고 그 근거를 논술하시오.

[의예과 문항3] 제시문 (ㄱ) (ㄷ)을 읽고 논제에 답하시오. (180점)

(ㄱ)함수 $f(t)$를 다음과 같이 정의한다.

$$f(t)=\int_0^t\left\{\frac{1}{(1+x^4)^{\frac{1}{4}}}-\frac{x^4}{(1+x^4)^{\frac{5}{4}}}\right\}dx$$

(ㄴ) 제시문 (ㄱ)의 함수 $f(t)$에 대하여 수직선 위를 움직이는 점 P의 시각 t에서의 속도 $v(t)$는 다음과 같다.

$$v(t)=3t^2\{f(t)+1\}$$

(ㄷ) 제시문 (ㄴ)의 점 P에 대하여 s는 $t=0$에서 $t=1$까지 점 P가 움직인 거리이다.

논제. (180점) 제시문 (ㄷ)의 s에 대하여 s^4의 값을 구하고 그 근거를 논술하시오.

[의예과 문항 4, 약학과 문항 3] 제시문 (ㄱ) (ㄴ)을 읽고 논제에 답하시오. (190점)

(ㄱ) 수열 $\{a_n\}$은 다음 조건을 만족시킨다.

(가) $a_1 = 0$

(나) 모든 자연수 n에 대하여 $a_n < a_{n+1}$이다.

(다) 실수 x가 $a_n < x \le a_{n+1}$일 때,

집합 $\left\{ \frac{1}{k} \ln \frac{k}{x} \middle| \ 1 \le k \le 5n, \ k\text{는 자연수} \right\}$의 원소 중 최댓값은 $\frac{1}{n} \ln \frac{n}{x}$이다.

(ㄴ) 제시문 (ㄱ)의 수열 $\{a_n\}$에 대하여 급수의 합 S를 다음과 같이 정의한다.

$$S = \sum_{n=1}^{\infty} \left\{ \left(\frac{a_{n+1}}{n} \right)^{\frac{1}{n}} - \left(\frac{a_n}{n} \right)^{\frac{1}{n}} \right\}$$

논제. (190점) 제시문 (ㄴ)의 S의 값을 구하고 그 근거를 논술하시오.

지원학부(과)

수험번호				

주민등록번호 앞6자리(예:040512)					

성명

문항 【1】 반드시 해당 문항의 답을 작성해야 함

1

이 줄 아래에 답안을 작성하거나 낙서할 경우 판독이 불가능하여 채점 불가

이 줄 위에 답안을 작성하거나 낙서할 경우 판독이 불가능하여 채점 불가

문항 【2】 반드시 해당 문항의 답을 작성해야 함

2

이 줄 아래에 답안을 작성하거나 낙서할 경우 판독이 불가능하여 채점 불가

이 줄 위에 답안을 작성하거나 낙서할 경우 판독이 불가능하여 채점 불가

문항 【3】 반드시 해당 문항의 답을 작성해야 함

3

이 줄 아래에 답안을 작성하거나 낙서할 경우 판독이 불가능하여 채점 불가

이 줄 위에 답안을 작성하거나 낙서할 경우 판독이 불가능하여 채점 불가

문항 【4】 반드시 해당 문항의 답을 작성해야 함

4

이 줄 아래에 답안을 작성하거나 낙서할 경우 판독이 불가능하여 채점 불가

6. 2023학년도 가톨릭대 모의 논술

[문항 1] 제시문 (ㄱ) ~ (ㄷ)을 읽고 문제 (논제 1, 논제 2)에 답하시오. (30점)

(ㄱ) 상수 a, b, c에 대하여 함수 $f(x)=\dfrac{bx+c}{x+a}$는 다음을 만족한다.

> ① 함수 $y=f(x)$의 그래프는 점 (13, 2)를 지난다.
> ② 함수 $y=f(x)$의 그래프는 직선 $y=x-3$에 대하여 대칭이다.
> ③ 함수 $y=f(x)$의 그래프는 직선 $y=-x+5$에 대하여 대칭이다.

(ㄴ) 함수 $y=f(x)$의 그래프에 대하여 x축에 평행한 점근선을 l, y축에 평행한 점근선을 m이라고 하자.

(ㄷ) 함수 $y=f(x)$의 그래프 위의 점 P에서 직선 l에 내린 수선의 발을 Q, 직선 m에 내린 수선의 발을 R이라고 하자.

논제 1. (10점) 상수 a, b, c의 값을 구하고 그 근거를 논술하시오.

논제 2. (20점) 제시문 (ㄷ)의 점 P, Q, R에 대하여 $\overline{\mathrm{PQ}}+\overline{\mathrm{PR}}$의 최솟값을 구하고 그 근거를 논술하시오.

[문항 2] 제시문 (ㄱ) ~ (ㄴ)을 읽고 문제 (논제 1, 논제 2)에 답하시오. (30점)

(ㄱ) 수열 $\{a_n\}$의 일반항 a_n은 다음을 만족한다. (단, n은 자연수)

함수 $f(x)=(-1)^n(x^3-3x^2+3x-12n^4x+2)$는 $x=a_n$에서 극대이다.

(ㄴ) 수열 $\{a_n\}$의 첫째항부터 제 10항까지의 합을 S라고 하자.

$$S=\sum_{n=1}^{10} a_n$$

논제 1. (15점) 제시문 (ㄱ)의 수열 $\{a_n\}$의 일반항을 구하고 그 근거를 논술하시오.

논제 2. (15점) 제시문 (ㄴ)의 S의 값을 구하고 그 근거를 논술하시오.

[문항 3] 제시문 (ㄱ) ~ (ㄹ)을 읽고 문제 (논제1, 논제2)에 답하시오. (40점)

(ㄱ) 다항함수 f, g는 다음과 같이 정의된다.

$$f(x)=x^3+x^2+5x-7$$

$$g(x)=2x^2-x-1$$

(ㄴ) 실수 a에 대하여 다항함수 h는 다음과 같이 정의된다.

$$h(x)=f(x)-ag(x)$$

(ㄷ) 방정식 $h(x)=0$이 서로 다른 세 실근을 가지도록 하는 모든 실수 a의 집합을 A라고 하자.

(ㄹ) 실수 a의 값이 정해졌을 때, 방정식 $h(x)=0$의 가장 작은 실근을 α, 가장 큰 실근을 β라고 하자.

논제 1. (20점) 제시문 (ㄷ)의 집합 A를 구하고 그 근거를 논술하시오.

논제 2. (20점) 방정식 $h(x)=0$이 중근을 가지도록 하는 모든 실수 a에 대하여 $\int_{\alpha}^{\beta}|g(x)|dx$의 최솟값을 구하고 그 근거를 논술하시오.

지원학부(과)	수험번호	주민등록번호 앞6자리(예:040612)

성명

문항 【1】 반드시 해당 문항의 답을 작성해야 함

1

이 줄 아래에 답안을 작성하거나 낙서할 경우 판독이 불가능하여 채점 불가

이 줄 위에 답안을 작성하거나 낙서할 경우 판독이 불가능하여 채점 불가

문항 【2】 반드시 해당 문항의 답을 작성해야 함

2

이 줄 아래에 답안을 작성하거나 낙서할 경우 판독이 불가능하여 채점 불가

이 줄 위에 답안을 작성하거나 낙서할 경우 판독이 불가능하여 채점 불가

문항 【3】 반드시 해당 문항의 답을 작성해야 함

3

이 줄 아래에 답안을 작성하거나 낙서할 경우 판독이 불가능하여 채점 불가

7. 2022학년도 가톨릭대 수시 논술 (자연, 공학, 간호)

[문항 1] 제시문 (ㄱ) ~ (ㄴ)을 읽고 문제(논제 1, 논제 2)에 답하시오. (30점)

(ㄱ) 자연수 m, n, l와 상수 a, b, c에 대하여 두 함수 $f(x)=ax^{m+1}+bx^{m}$, $g(x)=x^{n}+cx^{l}$은 다음 조건을 만족시킨다.

(단, $a\neq 0$, $b\neq 0$, $n>l$)

(가) $f(1)=8$, $g(1)=2$

(나) $\lim_{x\to\infty}\frac{g'(x)}{f(x)}=1$, $\lim_{x\to 0}\frac{xg(x)}{f(x)}=\frac{1}{4}$

(ㄴ) 제시문 (ㄱ)의 함수 $f(x)$와 $g(x)$에 대하여 극한값 L는 다음과 같다.

$$L=\lim_{x\to -1}\frac{g(x)}{f(x)}$$

논제 1. (20점) 제시문 (ㄱ)의 a, b, c의 값을 각각 구하고 그 근거를 논술하시오.

논제 2. (10점) 제시문 (ㄴ)의 L의 값을 구하고 그 근거를 논술하시오.

[문항 2] 제시문 (ㄱ) (ㄴ)을 읽고 문제(논제 1, 논제 2)에 답하시오. (30점)

(ㄱ) 한 변의 길이가 1인 정사각형 ABCD의 점 A에 바둑돌이 놓여있다. 동전을 던져 앞면이 나오면 3, 뒷면이 나오면 2만큼씩 정사각형의 둘레를 따라 시계방향으로 바둑돌을 옮기는 시행을 한다. 8회 시행 후 바둑돌이 점 A로 돌아오게 되는 경우의 수를 a라고 하자.

(ㄴ) 한 변의 길이가 1인 정팔각형 ABCDEFGH의 점 A에 바둑돌이 놓여있다. 빨간 구슬, 노란 구슬, 파란 구슬이 한 개씩 들어있는 주머니에서 구슬을 한 개 꺼내 빨간 구슬이면 3, 노란 구슬이면 2, 파란 구슬이면 1만큼씩 정팔각형의 둘레를 따라 시계방향으로 바둑돌을 옮기는 시행을 한다. 8회 시행 후 바둑돌이 점 A로 돌아오게 되는 경우의 수를 b라고 하자. (단, 꺼낸 구슬은 다시 주머니에 넣는다.)

논제 1. (10점) 제시문 (ㄱ)의 a의 값을 구하고 그 근거를 논술하시오.

논제 2. (20점) 제시문 (ㄴ)의 b의 값을 구하고 그 근거를 논술하시오.

[문항 3] 제시문 (ㄱ) (ㄷ)을 읽고 문제(논제 1, 논제 2)에 답하시오. (40점)

(ㄱ) 최고차항의 계수가 1인 삼차함수 $f(x)$는 다음 조건을 만족시킨다.

> (가) $f(0)=1$
> (나) 함수 $f(x)$의 극값 중 하나는 3이다.
> (다) 도함수 $f'(x)$는 $x=0$에서 극값을 가진다.

(ㄴ) 실수 a, b에 대하여 제시문 (ㄱ)의 함수 $f(x)$는 다음 조건을 만족시킨다.

> 실수 k에 대하여 방정식 $f(x)=k$의 실근의 개수를 n이라 할 때,
> (가) $a \le k \le b$이면 $n \ge 2$
> (나) $k < a$또는 $k > b$이면 $n=1$

(ㄷ) 제시문 (ㄱ)의 삼차함수 $f(x)$와 제시문 (ㄴ)의 실수 a, b에 대하여 실수 k가 $a \le k \le b$일 때 방정식 $f(x)=k$의 실근 중에서 가장 작은 근을 α, 가장 큰 근을 β라고 하자. 또한, 닫힌구간 $[a, b]$에 속하는 모든 k에 대한 $\beta-\alpha$의 최솟값을 m, 최댓값을 M라고 하자.

논제 1. (20점) 제시문 (ㄴ)의 a, b의 값을 구하고 그 근거를 논술하시오.

논제 2. (20점) 제시문 (ㄷ)의 m, M에 대하여 $\frac{M}{m}$의 값을 구하고 그 근거를 논술하시오.

지원학부(과)

수험번호				

주민등록번호 앞6자리(예:040512)					

성명

문항 【1】 반드시 해당 문항의 답을 작성해야 함

1

이 줄 아래에 답안을 작성하거나 낙서할 경우 판독이 불가능하여 채점 불가

이 줄 위에 답안을 작성하거나 낙서할 경우 판독이 불가능하여 채점 불가

문항 【2】 반드시 해당 문항의 답을 작성해야 함

2

이 줄 아래에 답안을 작성하거나 낙서할 경우 판독이 불가능하여 채점 불가

이 줄 위에 답안을 작성하거나 낙서할 경우 판독이 불가능하여 채점 불가

문항 【3】 반드시 해당 문항의 답을 작성해야 함

3

이 줄 아래에 답안을 작성하거나 낙서할 경우 판독이 불가능하여 채점 불가

8. 2022학년도 가톨릭대 수시 논술 (의예, 약학)

[문항 1] 제시문 (ㄱ) ~ (ㄷ)을 읽고 논제에 답하시오. (170점)

(ㄱ) 수아와 은우는 게임을 연속으로 2번 먼저 이기는 사람이 승자가 되는 시합을 한다.

(ㄴ) 제시문(ㄱ)의 시합에서 게임을 이길 확률은 각각 다음과 같다.

	첫 번째 게임	수아가 이긴 다음 게임	은우가 이긴 다음 게임
수아가 이길 확률	$\frac{3}{5}$	$\frac{3}{5}$	$\frac{1}{3}$
은우가 이길 확률	$\frac{2}{5}$	$\frac{2}{5}$	$\frac{2}{3}$

(ㄷ) 제시문 (ㄱ)의 시합에 대하여 확률 p와 q는 다음과 같다.

p : 수아가 승자가 될 확률

q : 2020번째 게임에서 시합이 끝났을 때, 수아가 승자가 될 확률

논제. 제시문 (ㄷ)의 확률 p와 q의 값을 각각 구하고 그 근거를 논술하시오. (170점)

[문항 2] 제시문 (ㄱ) ~ (ㄷ)을 읽고 논제에 답하시오. (170점)

(ㄱ) 함수 $f(x)$는 다음과 같다.

$$f(x)=\lim_{n\to\infty}\frac{3x^{3n+2}+3x^{2n}+x+5}{x^{3n}+1}\quad(x\neq-1)$$

(ㄴ) 제시문 (ㄱ)의 함수 $f(x)$에 대하여 두 곡선 $y=f(x)$, $y=\sqrt{a(x+b)}+3$은 한 점에서 공통인 접선을 가진다. (단, $a>0$, $b>1$)

(ㄷ) 제시문 (ㄱ)의 함수 $f(x)$와 제시문 (ㄴ)을 만족하는 a, b에 대하여 두 곡선 $y=f(x)$, $y=\sqrt{2b(x+a)}+\frac{5}{2}$의 교점의 개수를 m이라 하자.

논제. 제시문 (ㄷ)의 m의 값을 구하고 그 근거를 논술하시오. (170점)

[의예과 문항3] 제시문 (ㄱ) (ㄷ)을 읽고 논제에 답하시오. (180점)

(ㄱ) 20보다 큰 자연수 n에 대하여 2^n+61는 다음을 만족한다. (단, A, m_1, k_1는 자연수)

$$2^n+61=(2^n-2)\left(1+\frac{A}{m_1}\right)\left(1+\frac{1}{2^n+k_1}\right)$$

(ㄴ) 제시문 (ㄱ)의 $1+\dfrac{A}{m_1}$은 다음을 만족한다. (단, B, m_2, k_2은 자연수)

$$1+\frac{A}{m_1}=\left(1+\frac{B}{m_2}\right)\left(1+\frac{1}{2^{n-1}-k_2}\right)$$

(ㄷ) 제시문 (ㄴ)의 $1+\dfrac{B}{m_2}$은 다음을 만족한다. (단, C, m_3, k_3는 자연수)

$$1+\frac{B}{m_2}=\left(1+\frac{C}{m_3}\right)\left(1+\frac{1}{2^{n-2}+k_3}\right)$$

논제. (180점) 제시문 (ㄱ), (ㄴ), (ㄷ)을 모두 만족시키는 순서쌍 (k_1, k_2, k_3)**을 1개 구하고 그 근거를 논술하시오.** (단, $0<k_2<10<k_3<50<k_1<100$)(180점)

[의예과 문항 4, 약학과 문항 3] 제시문 (ㄱ) (ㄹ)을 읽고 논제에 답하시오. (180점)

(ㄱ) 닫힌구간 $\left[0, \frac{\pi}{4}\right]$에서 정의된 함수 $f(x)$는 다음과 같다.

$$f(x) = 2\int_0^x \tan\theta \sec^2\theta d\theta + 1$$

(ㄴ) 제시문 (ㄱ)의 함수 $f(x)$에 대하여 수열 $\{a_n\}$의 일반항은 다음과 같다.

$$a_n = \frac{1}{4^n} f\left(\frac{\pi}{2^{n+2}}\right)$$

(ㄷ) 제시문 (ㄴ)의 수열 $\{a_n\}$에 대하여 S는 다음과 같다.

$$S = \sum_{n=1}^{\infty} a_n$$

1) $\sin(\alpha + \beta) = \sin\alpha\cos\beta + \cos\alpha\sin\beta$

2) $\alpha = \beta$일 때, $\sin 2\alpha = 2\sin\alpha\cos\alpha$

논제. 제시문 (ㄷ)의 S의 값을 구하고 그 근거를 논술하시오. (180점)

지원학부(과)	수험번호	주민등록번호 앞6자리(예:040512)

성명

문항 【1】 반드시 해당 문항의 답을 작성해야 함

이 줄 아래에 답안을 작성하거나 낙서할 경우 판독이 불가능하여 채점 불가

이 줄 위에 답안을 작성하거나 낙서할 경우 판독이 불가능하여 채점 불가

문항 【2】 반드시 해당 문항의 답을 작성해야 함

2

이 줄 아래에 답안을 작성하거나 낙서할 경우 판독이 불가능하여 채점 불가

이 줄 위에 답안을 작성하거나 낙서할 경우 판독이 불가능하여 채점 불가

문항 【3】 반드시 해당 문항의 답을 작성해야 함

3

이 줄 아래에 답안을 작성하거나 낙서할 경우 판독이 불가능하여 채점 불가

이 줄 위에 답안을 작성하거나 낙서할 경우 판독이 불가능하여 채점 불가

문항 【4】 반드시 해당 문항의 답을 작성해야 함

4

이 줄 아래에 답안을 작성하거나 낙서할 경우 판독이 불가능하여 채점 불가

9. 2022학년도 가톨릭대 모의 논술

[문항 1] 제시문 (ㄱ) ~ (ㄷ)을 읽고 문제(논제 1, 논제 2)에 답하시오. (30점)

(ㄱ) 다음 조건을 모두 만족시키는 양수 a, b, c에 대하여 $\frac{2\pi}{a}+\frac{b}{2\pi}$의 최솟값을 m이라 하고, $\frac{2\pi}{a}+\frac{b}{2\pi}=m$인 a, b의 값을 각각 α, β라 하자.

> (i) 함수 $y=c\sin(ax)+b$의 최댓값은 9이다.
> (ii) 함수 $y=a\cos(bx)+c$의 최댓값은 8이다.

(ㄴ) 제시문 (ㄱ)의 α, β에 대하여 함수 $f(x)$는 다음과 같다.

$$f(x)=\tan(\alpha x-\beta)$$

(ㄷ) 제시문 (ㄴ)의 함수 $f(x)$에 대하여 상수 p는 다음 조건을 만족시킨다.

> (i) 직선 $x=p$는 함수 $y=f(x)$의 그래프의 한 점근선이다.
> (ii) 함수 $y=f(x)$의 그래프의 임의의 점근선 $x=q$에 대하여 $|p|\le|q|$이다.

[논제 1] (15점) 제시문 (ㄱ)의 m의 값을 구하고 그 근거를 논술하시오.

[논제 2] (15점) 제시문 (ㄷ)의 p의 값을 구하고 그 근거를 논술하시오.

[문항 2] 제시문 (ㄱ) ~ (ㄹ)을 읽고 문제(논제 1, 논제 2)에 답하시오. (30점)

(ㄱ) [함수의 극한, 좌극한, 우극한] 함수 $f(x)$의 $x=a$에서의 극한값이 L이면, 함수의 극한의 정의에 의하여 $x=a$에서의 좌극한과 우극한이 각각 존재하면서 그 값이 모두 L과 같다. 또, 그 역도 성립한다. 즉, 다음이 성립한다.

$$\lim_{x \to a} f(x) = L \Leftrightarrow \lim_{x \to a+} f(x) = \lim_{x \to a-} f(x) = L$$

(ㄴ) [미분계수] 함수 $y=f(x)$에서 x의 값이 a에서 $a+\Delta x$까지 변할 때의 평균변화율은

$$\frac{\Delta y}{\Delta x} = \frac{f(a+\Delta x)-f(a)}{\Delta x}$$

이다. 여기서 $\Delta x \to 0$일 때 이 평균변화율의 극한값

$$\lim_{\Delta x \to 0} \frac{\Delta y}{\Delta x} = \lim_{\Delta x \to 0} \frac{f(a+\Delta x)-f(a)}{\Delta x}$$

가 존재하면 함수 $y=f(x)$는 $x=a$에서 미분가능하다고 한다. 이 때 이 극한값을 함수 $y=f(x)$의 $x=a$에서의 순간변화율 또는 미분계수라고 하며 이것을 기호 $f'(a)$로 나타낸다.

(ㄷ) 다항함수 $f(x)$가 다음 조건을 만족시킨다.

극한값 $\lim_{x \to 0} \frac{f(|x|)-f(0)}{x}$이 존재한다.

(ㄹ) 최고차항의 계수가 1인 삼차함수 $g(x)$가 다음 조건을 만족시킨다.

(i) 함수 $y=g(|x|)$는 모든 실수 x의 값에서 미분가능하다.
(ii) 함수 $y=g(|x|)$는 $x=3$에서 극솟값 6을 가진다.

[논제 1] (15점) 제시문 (ㄷ)의 다항함수 $f(x)$에 대하여 $f'(0)$의 값을 구하고 그 근거를 논술하시오

[논제 2] (15점) 제시문 (ㄹ)의 삼차함수 $g(x)$에 대하여 $g(1)$의 값을 구하고 그 근거를 논술하시오.

[문항 3] 제시문 (ㄱ) ~ (ㄷ)을 읽고 문제(논제 1, 논제 2)에 답하시오. (40점)

(ㄱ) [수학적 귀납법] 자연수 n에 대한 명제 $p(n)$이 모든 자연수 n에 대하여 성립함을 증명하려면 다음 두 가지를 보이면 된다.

> (i) $n=1$일 때 명제 $p(n)$이 성립한다.
> (ii) $n=k$일 때 명제 $p(n)$이 성립한다고 가정하면 $n=k+1$일 때도 명제 $p(n)$이 성립한다.

(ㄴ) 자연수 n에 대한 명제 $p(n)$은 다음과 같다.

> 모든 자연수 m에 대하여 $\int_0^1 x^m(1-x)^n dx = \frac{m!n!}{(m+n+1)!}$이다.

(ㄷ) 모든 실수 c에 대하여 다음의 부등식을 만족시키는 자연수 n의 집합을 A라고 하자.

$$\int_0^1 x^n(1-x)^n\left(1+2\sqrt{3}cx+\frac{27}{10}c^2x^2\right)dx>0$$

[논제 1] (20점) 제시문 (ㄴ)의 명제 $p(n)$이 모든 자연수 n에 대하여 성립함을 수학적 귀납법으로 증명하시오.

[논제 2] (20점) 제시문 (ㄷ)의 집합 A를 구하고 그 과정을 논술하시오.

지원학부(과)

수 험 번 호				

주민등록번호 앞6자리(예:040512)					

성 명

문항 【1】 반드시 해당 문항의 답을 작성해야 함

1

이 줄 아래에 답안을 작성하거나 낙서할 경우 판독이 불가능하여 채점 불가

이 줄 위에 답안을 작성하거나 낙서할 경우 판독이 불가능하여 채점 불가

문항 【2】 반드시 해당 문항의 답을 작성해야 함

2

이 줄 아래에 답안을 작성하거나 낙서할 경우 판독이 불가능하여 채점 불가

이 줄 위에 답안을 작성하거나 낙서할 경우 판독이 불가능하여 채점 불가

문항 【3】반드시 해당 문항의 답을 작성해야 함

3

이 줄 아래에 답안을 작성하거나 낙서할 경우 판독이 불가능하여 채점 불가

10. 2021학년도 가톨릭대 수시 논술 (자연, 공학, 간호)

[문항 1] 제시문 (ㄱ) (ㄷ)을 읽고 문제(논제 1, 논제 2)에 답하시오. (30점)

(ㄱ) 실수 a, b, c에 대하여 좌표평면 위의 방정식 $y=ax^2+bx+2$가 나타내는 도형을 원점에 대하여 대칭이동한 후, x축의 방향으로 1만큼, y축의 방향으로 -6만큼 평행 이동한 도형의 방정식은 $y=-x^2+4x+c$이다.

(ㄴ) 좌표평면 위의 직선 l_1과 l_2는 다음 조건을 만족한다.

> ① l_1의 기울기는 음수이고 l_2의 기울기는 양수이다.
> ② l_1과 l_2는 모두 제시문 (ㄱ)의 곡선 $y=ax^2+bx+2$에 접한다.
> ③ l_1과 l_2는 모두 제시문 (ㄱ)의 곡선 $y=-x^2+4x+c$에 접한다.

(ㄷ) 제시문 (ㄱ)의 곡선 $y=ax^2+bx+2$및 제시문 (ㄴ)의 두 직선 l_1, l_2로 둘러싸인 도형의 넓이를 S라고 하자.

논제 1. (10점) 제시문 (ㄱ)의 a, b, c의 값을 구하고 그 근거를 논술하시오.

논제 2. (20점) 제시문 (ㄷ)의 S의 값을 구하고 그 근거를 논술하시오.

[문항 2] 제시문 (ㄱ) (ㄴ)을 읽고 문제 (논제 1, 논제 2)에 답하시오. (30점)

(ㄱ) 계수가 실수인 삼차함수 $f(x)$는 다음을 만족한다.

① $f\left(\frac{1}{2}\right)=\frac{17}{4}$

② 실수 a에 대하여 $f(a)=0$이고 $f''(a)=-12$이다.
(단, $f''(x)$는 $f(x)$의 이계도함수이다.)

③ 복소수 z에 대하여 $2z+9$, $-z-\frac{3}{4}i$는 방정식 $f(x)=0$의 서로 다른 두 허근이다. (단, $i=\sqrt{-1}$)

(ㄴ) 제시문 (ㄱ)의 함수 $f(x)$에 대하여 정의역이 $\{x|1\le x\le 2\}$인 다음 함수 $g(x)$의 최댓값 은 M, 최솟값은 m이다.

$$g(x)=f(x)+\frac{36}{f(x)}$$

논제 1. (15점) 제시문 (ㄱ)의 함수 $f(x)$를 구하고 그 근거를 논술하시오.

논제 2. (15점) 제시문 (ㄴ)의 M과 m의 값을 구하고 그 근거를 논술하시오.

[문항 3] 제시문 (ㄱ) (ㄷ)을 읽고 문제(논제 1, 논제 2)에 답하시오.

(40점) (자연·공학계열, 간호학과)

(ㄱ) 수열 $\{a_n\}$의 각 항은 양의 정수이고 모든 자연수 n에 대하여 다음이 성립한다.

$$a_{n+2} = \begin{cases} 3(a_n + a_{n+1}) + 1 & (a_n + a_{n+1}\text{이 홀수인 경우}) \\ \dfrac{a_n + a_{n+1}}{2} & (a_n + a_{n+1}\text{이 짝수인 경우}) \end{cases}$$

(ㄴ) 제시문 (ㄱ)의 수열 $\{a_n\}$과 자연수 k에 대하여 명제 p는 다음과 같다.

> p : a_k와 a_{k+2}가 모두 홀수이면
> $n \le k+2$인 모든 자연수 n에 대하여 a_n은 홀수이다.

(ㄷ) 제시문 (ㄱ)의 수열 $\{a_n\}$에 대하여 $a_3 = 19$이고 $a_6 = 22$일 때, 가능한 모든 a_1을 원소로 갖는 집합을 A라고 하자.

논제 1. (20점) 제시문 (ㄴ)의 명제 p의 참, 거짓을 판별하고 그 근거를 논술하시오.

논제 2. (20점) 제시문 (ㄷ)의 집합 A를 구하고 그 근거를 논술하시오.

[문항 3] 제시문 (ㄱ) (ㄴ)을 읽고 문제 (논제 1, 논제 2)에 답하시오.

(40점) (생활과학부, 미디어기술콘텐츠학과)

(ㄱ) 실수 a, b, c에 대하여 다음이 성립한다.

① 방정식 $y=x^3+ax^2+bx+c$가 나타내는 도형은 이 도형을 원점에 대하여 대칭 이동한 도형과 동일하다.

② 삼차함수 $f(x)=x^3+ax^2+bx+c$는 극댓값과 극솟값을 갖고 두 값의 차는 4이다.

(ㄴ) 제시문 (ㄱ)의 함수 $f(x)$와 실수 k에 대하여 연속확률변수 X의 확률밀도함수 $g(x)$ $(-\sqrt{2} \le x \le \sqrt{2})$가 다음을 만족한다.

$-\sqrt{2} \le x \le \sqrt{2}$ 인 모든 x에 대하여 $g(x)=kxf(x)$

논제 1. (20점) 제시문 (ㄱ)의 a, b, c의 값을 구하고 그 근거를 논술하시오.

논제 2. (20점) 제시문 (ㄴ)의 k의 값을 구하고 그 근거를 논술하시오.

지원학부(과)

수 험 번 호				

주민등록번호 앞6자리(예:340512)					

성 명

문항 【1】 반드시 해당 문항의 답을 작성해야 함

이 줄 아래에 답안을 작성하거나 낙서할 경우 판독이 불가능하여 채점 불가

이 줄 위에 답안을 작성하거나 낙서할 경우 판독이 불가능하여 채점 불가

문항 【2】 반드시 해당 문항의 답을 작성해야 함

2

이 줄 아래에 답안을 작성하거나 낙서할 경우 판독이 불가능하여 채점 불가

이 줄 위에 답안을 작성하거나 낙서할 경우 판독이 불가능하여 채점 불가

문항 【3】 반드시 해당 문항의 답을 작성해야 함

이 줄 아래에 답안을 작성하거나 낙서할 경우 판독이 불가능하여 채점 불가

11. 2021학년도 가톨릭대 수시 논술 (의예, 약학)

[문항 1] 제시문 (ㄱ) ~ (ㄴ)을 읽고 논제에 답하시오. (170점)

(ㄱ) 상자 A에는 검은 공 1개와 흰 공 4개가 들어 있고 상자 B에는 검은 공 3개와 흰 공 2개가 들어 있다. 서로 다른 주사위 3개를 동시에 던져 나온 눈의 수 중 가장 큰 수와 가장 작은 수의 차이가 2 또는 4이면 상자 A에서, 아니면 상자 B에서 공을 하나 뽑는 시행을 두 번 반복 한다. (단, 뽑힌 공은 상자에 다시 넣지 않는다.)

(ㄴ) 제시문 (ㄱ)의 시행에 대하여 첫 번째 시행에서 검은 공이 나올 확률을 p, 첫 번째 시행에서 흰 공이 나왔을 때 두 번째 시행에서 검은 공이 나올 확률을 q라고 하자.

논제. (170점) 제시문 (ㄴ)의 p와 q의 값을 각각 구하고 그 근거를 논술하시오

[문항 2] 출제 오류 : 전원 만점처리

[의예과 문항3] 제시문 (ㄱ) (ㄷ)을 읽고 논제에 답하시오. (180점)

(ㄱ) 학생 A와 B를 포함하는 $k+2$명으로 구성된 동아리에 대하여 아래 경우의 수를 a_k라고 하자. (단, k는 3이상인 자연수이다.)

학생 A, B를 포함하여 동아리 학생 5명을 뽑아 원탁에 앉힐 때 A와 B가 서로 이웃하여 앉는 경우의 수

(ㄴ) 제시문 (ㄱ)의 a_k와 3보다 큰 소수 p에 대하여 다음 집합 S의 가장 작은 원소를 b_k라고 하자.

$$S=\left\{m \mid m\text{는 } m \geq \frac{a_k}{p}\text{인 자연수}\right\}$$

(ㄷ) 제시문 (ㄴ)의 p와 b_k에 대하여 L는 다음과 같다.

$$L=\sum_{k=3}^{p-1} b_k$$

논제. (180점) 제시문 (ㄷ)의 합 L를 구하고 그 근거를 논술하시오.

[의예과 문항 4, 약학과 문항 3] 제시문 (ㄱ) (ㄴ)을 읽고 논제에 답하시오. (180점)

(ㄱ) 상수 n에 대하여 명제 p는 다음과 같다.

> 최고차항의 계수가 양수인 삼차함수 $f(x)$가 $x=\alpha$에서 극댓값을 가지고 $x=\beta$에서 극솟값 0을 가지면 방정식 $f(x-f(x))=f(x)$는 열린구간 $(\alpha,\ \beta)$에서 n개의 실근을 갖는다.

(ㄴ) 최고차항의 계수 k가 양수인 삼차함수 $f(x)$가 다음 조건을 만족시킨다.

> (가) 방정식 $f(x-f(x))=f(x)$의 모든 실근은 $a,\ b,\ c,\ d,\ e$이고 $f(b)=f(d)$이다. (단, $a<b<c<d<e$)
> (나) 함수 $f(x)$의 극솟값은 0이다.

이 함수 $f(x)$와 실수 $k,\ a,\ b,\ c$에 대하여 $m=k(b-a)f(2b-c)$라고 하자.

논제. (180점) 제시문 (ㄱ)의 명제 p가 참이 되도록 하는 n의 값이 있는지 판별하고, 있는 경우 n의 값을 구하시오. 또한 제시문 (ㄴ)의 m의 값을 구하시오. 이 모든 과정의 근거를 논술하시오.

지원학부(과)

수험번호				

주민등록번호 앞6자리(예:040512)					

성명

문항 【1】 반드시 해당 문항의 답을 작성해야 함

1

이 줄 아래에 답안을 작성하거나 낙서할 경우 판독이 불가능하여 채점 불가

이 줄 위에 답안을 작성하거나 낙서할 경우 판독이 불가능하여 채점 불가

문항 【2】 반드시 해당 문항의 답을 작성해야 함

2

이 줄 아래에 답안을 작성하거나 낙서할 경우 판독이 불가능하여 채점 불가

이 줄 위에 답안을 작성하거나 낙서할 경우 판독이 불가능하여 채점 불가

문항 【3】 반드시 해당 문항의 답을 작성해야 함

이 줄 아래에 답안을 작성하거나 낙서할 경우 판독이 불가능하여 채점 불가

이 줄 위에 답안을 작성하거나 낙서할 경우 판독이 불가능하여 채점 불가

문항 【4】 반드시 해당 문항의 답을 작성해야 함

4

이 줄 아래에 답안을 작성하거나 낙서할 경우 판독이 불가능하여 채점 불가

12. 2021학년도 가톨릭대 모의 논술

[문항 1] 제시문 (ㄱ) (ㄷ)을 읽고 문제(논제 1, 논제 2)에 답하시오. (30점)

삼각형 ABC에서 세 각 ∠A, ∠B, ∠C의 크기를 각각 A, B, C라 하고 이들의 대변의 길이를 각각 a, b, c라 하자.

(ㄱ) **[사인법칙]** 삼각형 ABC의 외접원의 반지름의 길이를 R라고 할 때 다음이 성립한다.

$$\frac{a}{\sin A}=\frac{b}{\sin B}=\frac{c}{\sin C}=2R$$

(ㄴ) **[코사인법칙]** 삼각형 ABC에서 다음이 성립한다.

$$a^2=b^2+c^2-2bc\cos A$$
$$b^2=c^2+a^2-2ca\cos B$$
$$c^2=a^2+b^2-2ab\cos C$$

(ㄷ) 다음 조건을 만족하는 삼각형 ABC의 넓이 S에 대하여 $\frac{S}{\text{AB}^2}$의 최댓값을 M이라 하자.

$$2\sin A\cos C=\sin B$$

논제 1. **(20점) 제시문 (ㄷ)의 조건을 만족하는 삼각형** ABC**는 어떤 삼각형인지 논술하시오.**

논제 2. **(10점) 제시문 (ㄷ)의** M**의 값을 구하고 그 근거를 논술하시오.**

[문항 2] 제시문 (ㄱ) ~ (ㄷ)을 읽고 문제(논제 1, 논제 2)에 답하시오. (30점)

(ㄱ)

[확률의 덧셈정리] 표본공간 S의 두 사건 A, B에 대하여 사건 A또는 사건 B가 일어날 확률은

$$P(A \cup B) = P(A) + P(B) - P(A \cap B)$$

이다. 특히, 두 사건 A와 B가 서로 배반사건이면 $P(A \cup B)$는 다음과 같다.

$$P(A \cup B) = P(A) + P(B)$$

(ㄴ)

[이산확률변수의 기댓값] 이산확률변수 X의 확률질량함수가

$$P(X = x_i) = p_i \,(i = 1,\ 2,\ \cdots,\ n)$$

일 때, X의 기댓값(평균) $E(X)$는 다음과 같다.

$$E(X) = x_1 p_1 + x_2 p_2 + \cdots + x_n p_n$$

(ㄷ)

어떤 주머니에 1또는 2가 하나씩 적힌 붉은 공과 파란 공이 여러 개 들어 있다. 이 주머니에서 임의로 하나의 공을 꺼내는 시행에서 꺼낸 공이 붉은 공인 사건을 A, 꺼낸 공에 적힌 수가 1인 사건을 B라고 하고, 꺼낸 공에 적힌 수를 확률변수 X라고 하자. 이때 사건 A와 B, 확률변수 X는 다음 조건을 만족시킨다.

i) 두 사건 A, B는 서로 독립이다.

ii) $P(A) = \dfrac{3}{5}$

iii) $E(X) = \dfrac{7}{4}$

논제 1. (15점) 제시문 (ㄷ)의 확률변수 X의 확률분포를 표로 나타내고 그 근거를 논술하시오.

논제 2. (15점) 제시문 (ㄷ)의 시행에서 2가 적힌 붉은 공을 꺼낼 확률을 구하고 그 근거를 논술하시오.

[문항 3] 제시문 (ㄱ) ~ (ㄹ)을 읽고 문제 (논제 1, 논제 2)에 답하시오. (40점)

(ㄱ) 함수 $f(x)$가 닫힌구간 $[a, b]$에서 연속이고 $f(x) \geq 0$일 때, 곡선 $y=f(x)$와 x축 및 두 직선 $x=a$, $x=b$로 둘러싸인 도형의 넓이 S는 다음과 같다.

$$S=\int_a^b f(x)dx$$

(L) 양의 실수 x에 대하여 다음이 성립한다.

$$\int_1^x \frac{1}{t}dt = \ln x$$

(ㄷ) 명제 A는 다음과 같다.

모든 자연수 n에 대하여 $\sqrt{e}<\left(1+\frac{1}{n}\right)^n<e$이다.

(ㄹ) 자연수 n에 대하여 다음 집합 B의 원소 중 가장 큰 수를 a_n이라고 하자.

$$B=\left\{\alpha \middle| \alpha\text{는 방정식 } x^3-\left(1+\frac{1}{n}\right)^n x^2+x-e=0\text{의 실근}\right\} \cup \{\sqrt{e}\}$$

논제 1. (20점) 제시문 (ㄱ), (ㄴ)을 이용하여 제시문 (ㄷ)의 명제 A의 참, 거짓을 판별하고 그 근거를 논술하시오.

논제 2. (20점) 제시문 (ㄹ)의 수열 $\{a_n\}$에 대하여 극한값 $\lim_{n \to \infty} a_n$을 구하고 그 근거를 논술하시오.

지원학부(과)

수 험 번 호				

주민등록번호 앞6자리(예:040512)					

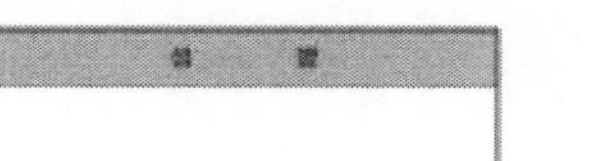

문항 【1】 반드시 해당 문항의 답을 작성해야 함

1

이 줄 아래에 답안을 작성하거나 낙서할 경우 판독이 불가능하여 채점 불가

이 줄 위에 답안을 작성하거나 낙서할 경우 판독이 불가능하여 채점 불가

문항 【2】 반드시 해당 문항의 답을 작성해야 함

2

이 줄 아래에 답안을 작성하거나 낙서할 경우 판독이 불가능하여 채점 불가

이 줄 위에 답안을 작성하거나 낙서할 경우 판독이 불가능하여 채점 불가

문항 【3】 반드시 해당 문항의 답을 작성해야 함

3

이 줄 아래에 답안을 작성하거나 낙서할 경우 판독이 불가능하여 채점 불가

VI. 예시 답안

1. 2024학년도 가톨릭대 수시 논술 (자연, 공학, 간호)

[문항 1]

논제 1. (15점) 제시문 (ㄴ)의 R, c에 대하여 $\frac{c}{R}$의 값을 구하고 그 근거를 논술하시오.

논제 2. (15점) 제시문 (ㄴ)의 r의 값이 2일 때, 제시문 (ㄷ)의 a의 값으로 가능한 것을 모두 구하고 그 근거를 논술하시오.

[문항 2]

논제 1. (10점) 제시문 (ㄱ)의 함수 $f(x)$에 대하여 $f(x)$의 최고차항의 계수를 구하고 그 근거를 논술하시오.

논제 2. (25점) 제시문 (ㄷ)의 I의 값으로 가능한 것을 모두 구하고, 그 근거를 논술하시오.

[문항 3]

논제 1. (20점) 제시문 (ㄱ)의 a, d에 대하여 d를 a에 대한 식으로 나타내고 그 근거를 논술하시오.

논제 2. (15점) 제시문 (ㄴ)의 a, S에 대하여 $S=3$일 때, a의 값을 구하고 그 근거를 논술하시오.

[문항 1]

논제 1.

삼각형 ABC**의 세 각의 합은** π**이므로** $\cos(B+C)=\cos(\pi-A)=-\cos A$**이다. 한편,** $\overline{\mathrm{BC}}=a$, $\overline{\mathrm{AC}}=b$**라 하면, 사인법칙과 코사인법칙에 의해**

$$\sin B=\frac{b}{2R},\quad \sin C=\frac{c}{2R},\quad \cos A=\frac{b^2+c^2-a^2}{2bc}$$

이므로

$$\begin{aligned}\sin C\cos(B+C)+\sin B=0 \;&\Leftrightarrow\; -\sin C\cos A+\sin B=0\\ &\Leftrightarrow\; -\frac{c}{2R}\cdot\frac{b^2+c^2-a^2}{2bc}+\frac{b}{2R}=0\\ &\Leftrightarrow\; c^2=a^2+b^2\end{aligned}$$

를 얻는다. 따라서 주어진 삼각형은 C**가 직각인 직각삼각형이고, 사인법칙을 이용하면**

$$\frac{c}{R}=2\sin C=2$$

이다.

논제 2.

$\overline{\text{AP}}=mx$, $\overline{\text{PB}}=nx$ **(단, $x>0$)라 하면, 내접원의 성질에 의해**

$$a=nx+2$$
$$b=mx+2$$
$$c=(m+n)x$$

이고, a, b, c**는 자연수이므로** x**는 유리수여야 한다. (그림 참조)**

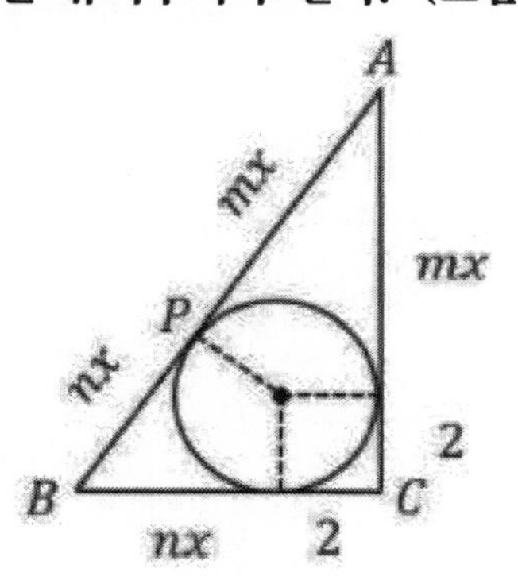

이를 $c^2=a^2+b^2$**에 대입하면,**

$$c^2=a^2+b^2 \Leftrightarrow (m+n)^2x^2=(nx+2)^2+(mx+2)^2$$
$$\Leftrightarrow mnx^2-2(m+n)x-4=0$$

을 얻는다.

이차방정식 $mnx^2-2(m+n)x-4=0$**의 판별식을** D**라 하면** $\frac{D}{4}=(m+n)^2+4mn$**은 어떤 자연수의 제곱이어야 한다.** m, n**이** 3**이하인 자연수이므로 가능한 모든 경우를 조사해보면 다음과 같다.**

(m, n)	$(1, 1)$	$(1,2), (2,1)$	$(1, 3), (3, 1)$	$(2, 2)$	$(2, 3), (3, 2)$	$(3, 3)$
$\frac{D}{4}$	8	17	28	32	49	72

따라서 x**가 유리수가 되는 순서쌍은** $(2,\ 3)$, $(3,\ 2)$**이다. 이 때,** x**의 값을 계산해보면,**

$$x=\frac{(m+n)\pm\sqrt{(m+n)^2+4mn}}{mn}=-\frac{1}{3},\ 2$$

이고, x**는 양수이므로** $x=2$**이다. 따라서**

$$m=3,\ n=2 \text{이면 } a=nx+2=6$$
$$n=2,\ n=3 \text{이면 } a=nx+2=8$$

을 얻고, a**의 값으로 가능한 것은** 6, 8**이다.**

[문항 2]

논제 1.

$f(x)=ax^3+bx^2+cx+d$**라고 하면,** $f(x)+f(-x)=2bx^2+2d=4$**이고, 이 식은 모든 실수** x**에 대하여 성립하므로** $b=0$, $d=2$**이다. 따라서** $f(x)=ax^3+cx+2$**이다.**

$$f'(x)=3ax^2+c$$

이고 $f'(1)-f'(0)=3a=-3$**이므로** $a=-1$**이다.**

논제 2.

$f'(0)>0$**이므로** $c>0$**이다. 따라서**

$f'(x)=-3x^2+c=0$**은 두 실근** $x=\pm\sqrt{\dfrac{c}{3}}$ **을 가지고, 함수** $f(x)$**는**

$x=-\sqrt{\dfrac{c}{3}}$ **에서 극솟값** $f\left(-\sqrt{\dfrac{c}{3}}\right)=-\dfrac{2c\sqrt{c}}{3\sqrt{3}}+2$,

$x=\sqrt{\dfrac{c}{3}}$ **에서 극댓값** $f\left(\sqrt{\dfrac{c}{3}}\right)=\dfrac{2c\sqrt{c}}{3\sqrt{3}}+2$**를 갖는다.** c**는 양수이므로 극솟값은** 2**보다 작고, 극댓값은** 2**보다 크다.**

제시문 (ㄴ)에 의하여 $A(k)$**는** 3**이하의 자연수이다.**

$A(20)=3$**이면,**

조건 (가)에 의하여 $A(0)=3$, $A(10)=3$**이 되지만, 조건 (나)를 만족시키지 않는다.**

$A(20)=2$**이면,**

조건 (나)를 만족시키는 경우는 $A(0)=3$, $A(18)=1$**인데, 조건 (가)를 만족시키지 않는다.**

$A(20)=1$**이면,**

$A(0)=3$, $A(18)=2$ **또는** $A(0)=2$, $A(18)=1$**인 경우 조건 (가), (나)를 모두 만족시킨다.**

i) $A(0)=2$, $A(18)=1$, $A(20)=1$**인 경우**

함수 $f(x)$**의 극솟값이나 극댓값이** 0**이 되어야 하지만, 극댓값은 항상** 2**보다 크므로, 극솟값이** 0**이 되어야 한다. 이 경우,** $-\dfrac{2c\sqrt{c}}{3\sqrt{3}}+2=0$**에서** $c=3$**이고 이때 극댓값은** 4**이다.**

따라서 $A(18)=1$, $A(20)=1$**이 성립하고** $f(x)=-x^3+3x+2$**이므로,**

$$I=\int_0^2 f(x)dx=\left[-\frac{1}{4}x^4+\frac{3}{2}x^2+2x\right]_0^2=6$$

이다.

ii) $A(0)=3$, $A(18)=2$, $A(20)=1$**인 경우**

함수 $f(x)$**의 극솟값이나 극댓값이** 18**이 되어야 하지만, 극솟값은 항상** 2**보다 작으므로, 극댓값이** 18**이 되어야 한다. 극댓값이** 18**이므로** $\dfrac{2c\sqrt{c}}{3\sqrt{3}}+2=18$**에서** $c=12$**이고 이때, 극솟값은** -14**이다.**

따라서 $A(0)=3$, $A(20)=1$**이 성립하고** $f(x)=-x^3+12x+2$**이므로,**

$$I=\int_0^2 f(x)dx=\left[-\frac{1}{4}x^4+6x^2+2x\right]_0^2=24$$

이다. 따라서, I의 값으로 가능한 것은 6, 24이다.

[문항 3]

논제 1.

수열 $\{a_n\}$**의 일반항은** $a_n=a+b(n-1)$**이다.**

$a_k+a_m=2a+b(k+m-2)=0$**이므로,**

$b=-\dfrac{2a}{l}$ **(단, l은 자연수)의 형태가 되어야 순서쌍이 존재한다.**

이제, $k+m=l+2$를 만족시키는 순서쌍 $(k,\ m)$의 개수를 확인하여 제시문 (ㄱ)의 조건을 만족시키는 가장 큰 l값을 구하면 충분하다. 그런데, $l>4$이면 순서쌍 $(k,\ m)$은 $(1,\ l+1)$, $(2,\ l)$, $(3,\ l-1)$의 최소 세 개가 존재하고,

$l=4$이면, $(1,\ 5)$, $(2,\ 4)$의 두 개의 순서쌍만 존재하므로 제시문 (ㄱ)의 조건을 만족시키는 b의 최댓값은 $-\dfrac{a}{2}$이다.

즉, $d=-\dfrac{a}{2}$이다.

논제 2.

$d=-\dfrac{a}{2}$ **이므로** $b_n=a-\dfrac{a}{2}(n-1)=\dfrac{a}{2}(3-n)$**이다.**

$k\le 3$**이면** $|b_k|=\dfrac{a}{2}(3-k)$**이고,**

$k\ge 3$**이면** $|b_k|=\dfrac{a}{2}(k-3)$**이므로,**

$S=\sqrt{\dfrac{2}{a}}\left(\displaystyle\sum_{k=1}^{2}\frac{1}{\sqrt{3-k}+\sqrt{2-k}}+\sum_{k=3}^{50}\frac{1}{\sqrt{k-3}+\sqrt{k-2}}\right)$**라고 쓸 수 있다.**

$\displaystyle\sum_{k=1}^{2}\frac{1}{\sqrt{3-k}+\sqrt{2-k}}=\frac{1}{\sqrt{2}+1}+1=\sqrt{2}$ **이고,**

$\displaystyle\sum_{k=3}^{52}\frac{1}{\sqrt{k-3}+\sqrt{k-2}}=\sum_{k=3}^{52}(\sqrt{k-2}-\sqrt{k-3})=5\sqrt{2}$ **이므로,**

$S=\dfrac{12}{\sqrt{a}}$**이다.** $S=3$**이므로** $a=16$**이다.**

2. 2024학년도 가톨릭대 수시 논술 (의예, 약학)

[문항 1]

논제. (170점) 제시문 (ㄷ)~(ㅁ)의 s, d, l의 값을 각각 구하고 그 근거를 논술하시오.

[문항 2]

논제. (170점) 제시문 (ㄹ)의 두 실수 α, β에 대하여 $\alpha+\beta$의 값을 구하고 그 근거를 논술하시오.

[의예과 문항3]

논제. (180점) 제시문 (ㄹ)의 집합 A의 원소 중 가장 큰 값을 구하고 그 근거를 논술하시오.

[의예과 문항 4, 약학과 문항 3]

논제. (180점) 제시문 (ㄷ)의 집합 A의 원소가 아닌 양수 k의 값을 모두 구하고 그 근거를 논술하시오.

[문항 1]

점 $\mathrm{P}(x, y)$**에 대하여** $\frac{dx}{dt}=(2t-\pi)\sin t$, $\frac{dy}{dt}=(2t-\pi)\cos t$**이므로, 시간** t**에서 점** P**의 속력은 다음과 같다.**

$$\sqrt{\left(\frac{dx}{dt}\right)^2+\left(\frac{dy}{dt}\right)^2}=\sqrt{\{(2t-\pi)\sin t\}^2+\{(2t-\pi)\cos t\}^2}=\sqrt{(2t-\pi)^2}=|2t-\pi|$$

점 P**의** $t=0$**에서 속력은** $|2t-\pi|=\pi$**이고,** $t=a$**에서의 속력은** $|2a-\pi|=3\pi$**이므로** $a=2\pi$ **이다. 따라서** s**는 다음과 같다.**

$$s=\int_0^{2\pi}|2t-\pi|dt=\int_0^{\frac{\pi}{2}}(\pi-2t)dt+\int_{\frac{\pi}{2}}^{2\pi}(2t-\pi)dt$$
$$=\left[\pi t-t^2\right]_0^{\frac{\pi}{2}}+\left[t^2-\pi t\right]_{\frac{\pi}{2}}^{2\pi}=\frac{5}{2}\pi^2$$

시간 t**에서 점** Q**의 속도는** $v(t)=(2t-\pi)\sin t$**이고, 점** R**의 속도는** $u(t)=(2t-\pi)\cos t$**이다. 수직선을 따라 움직이는 점의 운동에서 속도의 부호는 점의 운동 방향을 나타내므로 두 점의 속도의 부호가 바뀌는 시각, 즉 운동 방향을 바꾸는 시각은 점** Q**에 대하여** $\frac{\pi}{2}$, π, 2π, ...**이고, 점** R**에 대하여** $\frac{3}{2}\pi$, $\frac{5}{2}\pi$, $\frac{7}{2}\pi$ ...**이다. 따라서** $b=\pi$, $c=\frac{5}{2}\pi$**이다.**

그러므로 d**는**

$$d=\int_0^{\pi}|(2t-\pi)\sin t|dt=\int_0^{\frac{\pi}{2}}(\pi-2t)\sin t\,dt+\int_{\frac{\pi}{2}}^{\pi}(2t-\pi)\sin t\,dt$$
$$=-2\left\{\int_0^{\frac{\pi}{2}}t\sin t\,dt-\int_{\frac{\pi}{2}}^{\pi}t\sin t\,dt\right\}$$

이고, 부분적분법을 이용하면, $\int t\sin t\,dt=t(-\cos t)-\int(-\cos t)dt=-t\cos t+\sin t$**이므로,**

$$d = -2\left\{\left[-t\cos t + \sin t\right]_0^{\frac{\pi}{2}} + \left[t\cos t - \sin t\right]_{\frac{\pi}{2}}^{\pi}\right\} = 2\pi - 4$$

이다.

또한 l**은**

$$l = \int_0^{\frac{5}{2}\pi} |(2t-\pi)\cos t| dt = \int_0^{\frac{3}{2}\pi} (\pi - 2t)\cos t dt + \int_{\frac{3}{2}\pi}^{\frac{5}{2}\pi} (2t-\pi)\cos t dt$$

$$= -3\pi - 2\left\{\int_0^{\frac{3}{2}\pi} t\cos t dt - \int_{\frac{3}{2}\pi}^{\frac{5}{2}\pi} t\cos t dt\right\}$$

이고, 부분적분법을 이용하면, $\int t\cos t dt = t\sin t - \int \sin t dt = t\sin t + \cos t$**이므로,**

$$l = -3\pi - 2\left\{\left[t\sin t + \cos t\right]_0^{\frac{3}{2}\pi} - \left[t\sin t + \cos t\right]_{\frac{3}{2}\pi}^{\frac{5}{2}\pi}\right\} = 8\pi + 2$$

이다.

[문항 2]

곡선 $y = e^{2x}$**위의 점** $(t,\ e^{2t})$**에서의 접선의 방정식은**

$$y = 2e^{2t}(x-t) + e^{2t}$$

이므로 $f(x) = 2e^{2t}(x-t) + e^{2t}$**이다.**

제시문 (ㄴ)의 함수 $g(x) = |f(x) + k - 2\ln x|$**에 대하여,** $g_1(x) = f(x) + k - 2\ln x$**라고 하면** $g_1'(x) = f'(x) - \frac{2}{x} = 2e^{2t} - \frac{2}{x}$**이므로 함수** $g_1(x)$**는** $g_1'(x) = 0$**을 만족하는** $x = e^{-2t}$**에서 극솟값** $g_1(e^{-2t}) = (1-2t)e^{2t} + k + 4t + 2$**을 갖는다.**

따라서, $x > 0$**인 모든 실수에 대해 함수** $g(x) = |f(x) + k - 2\ln x|$**가 미분가능하기 위해서는** $g_1(e^{-2t}) = (1-2t)e^{2t} + k + 4t + 2 \geq 0$**. 즉** $k \geq (2t-1)e^{2t} - 4t - 2$**을 만족해야 하므로,**

$m = (2t-1)e^{2t} - 4t - 2$**이고,**

$$h(t) = e^{-t}(m + 2t + 1) = e^t(2t-1) - e^{-t}(2t+1)$$

이다. 한편,

$$h'(t) = e^t(2t-1) + 2e^t + e^{-t}(2t+1) - 2e^{-t} = (1+2t)e^t - (1-2t)e^{-t}$$

이다, $h'(0) = 0$**이고, 임의의 양수** t**에 대해** $1 + 2t > 1 - 2t$, $e^t > e^{-t}$**에 의해** $h'(t) > 0$**이므로** $t \geq 0$**에서 함수** $h(t)$**는 증가함수이다.** $h(0) = -2$, $h(1) = e - 3e^{-1} > 0$**이므로** 0**과** 1**사이의 어떤 실수** q**에서** $h(q) = 0$**을 만족하고** $h(-t) = h(t)$**이 므로** $h(-q) = 0$**이다.**

모든 실수 t**에 대하여** $(t-1)^2 \geq 0$**이므로** $(t-1)^2 h(t)$**는** $-q < t < q$**일때만 음의 값을 가진다. 따라서,** $\alpha = -q$, $\beta = q$**일 때** s**가 최소가 된다. 따라서,** $\alpha + \beta = 0$**이다.**

[의예과 문항3]

$1 \le n \le 500$**이므로,** $\frac{n+100}{100}$**의 최댓값은** $n=500$**일 때** $\frac{500+100}{100}=6$**이고, 제시문 (ㅁ)에 의해** $6<2\pi$**이다.** $n \ge 314$**이면** $\sin\left(\frac{n+1}{100}\right)$, $\sin\left(\frac{n+2}{100}\right)$, $\cdots$, $\sin\left(\frac{n+100}{100}\right)$**은 모두 음수이므로** a**가 음수가 되어 최댓값이 될 수 없다. 어떤 자연수** $k(1 \le k \le 313)$**에 대하여** $n=k$**일 때의** a**의 값을** p, $n=k+1$**일 때의** a**의 값을** q**라 하면**

$$q-p=\sin\left(\frac{k+101}{100}\right)-\sin\left(\frac{k+1}{100}\right)$$

이다. $q-p$**는**

$$\left|\frac{k+101}{100}-\frac{\pi}{2}\right|<\left|\frac{k+1}{100}-\frac{\pi}{2}\right|$$

이면 양수이고

$$\left|\frac{k+101}{100}-\frac{\pi}{2}\right|>\left|\frac{k+1}{100}-\frac{\pi}{2}\right|$$

이면 음수가 되므로, $1 \le k \le 106$**이면 양수이고** $107 \le k \le 313$**이면 음수이다. 따라서** $k=107$**일 때 최초로** $q-p$**가 음수가 되고** a**의 값이 최대가 되며** $m=107$**이다.**
$m=107$**이므로 제시문 (ㄷ)의** b**는** $b=\cos(1.08)+\cos(1.09)+\cdots+\cos(2.07)$**이고,**

$1.570 \le \frac{\pi}{2} \le 1.571$**이므로**

$\cos(1.08)$, $\cos(1.09)$, $\cdots$, $\cos(1.57)$**은 양수,**
$\cos(1.58)$, $\cos(1.59)$, $\cdots$, $\cos(2.07)$**은 음수이다.**

(1) 삼각함수의 성질에 의하여 다음이 성립한다.

$$\left|1.57-\frac{\pi}{2}\right|<\left|1.58-\frac{\pi}{2}\right| \Rightarrow \cos(1.57)+\cos(1.58)<0$$
$$\left|1.56-\frac{\pi}{2}\right|<\left|1.59-\frac{\pi}{2}\right| \Rightarrow \cos(1.56)+\cos(1.59)<0$$
$$\vdots$$
$$\left|1.08-\frac{\pi}{2}\right|<\left|2.07-\frac{\pi}{2}\right| \Rightarrow \cos(1.08)+\cos(2.07)<0$$

따라서

$$b=(\cos(1.57)+\cos(1.58))+\cdots+(\cos(1.08)+\cos(2.07))<0$$

이다.

(2) 비슷한 방법으로 1.56**과** 1.58**부터 비교하면,**

$$\left|1.56-\frac{\pi}{2}\right|>\left|1.58-\frac{\pi}{2}\right| \Rightarrow \cos(1.56)+\cos(1.58)>0$$
$$\left|1.55-\frac{\pi}{2}\right|>\left|1.59-\frac{\pi}{2}\right| \Rightarrow \cos(1.55)+\cos(1.59)>0$$
$$\vdots$$

$$\left|1.08-\frac{\pi}{2}\right|>\left|2.06-\frac{\pi}{2}\right| \Rightarrow \cos(1.08)+\cos(2.06)>0$$

이고, $2.07=\frac{207}{100}=\frac{621}{300}<\frac{2}{3}\pi$**이므로** $\cos(2.07)>\cos\left(\frac{2}{3}\pi\right)=-0.5$**이고, 따라서,**

$$b=\cos(1.57)+(\cos(1.56)+\cos(1.58))+\cdots+(\cos(1.08)+\cos(2.06))+\cos(2.07)>-0.5$$

이다.

따라서, (1)과 (2)에 의하여 $2b$**는** $-1<2b<0$**을 만족하고,** $k\le-1$**이면** $2b-k>0$**이고** $k\ge0$**이면** $2b-k<0$**이므로 집합** A**는 모든 음의 정수의 집합이고** A**의 가장 큰 원소는** -1**이다.**

[의예과 문항 4, 약학과 문항 3번]

$f(x)$**는** $x=0$**에서 연속이다.** $f(x)$**는** $x<0$**에서 기울기가** $-(a+4)^2$**인 직선이므로 닫힌구간** $[-k,\ 0]$**에서** $f(-k)$**가 최대이다. 한편, 함수** $y=x^3-ax^2-a^2x+4a+2a^2$**는** x^3**의 계수가 양수이고,** $x=a$ **및** $x=-\frac{a}{3}$**에서 극값을 가진다. 그러므로** $x\ge0$**에서** $f(x)$**의 함숫값은** $a=0$**인 경우에는 증가하고** $a\ne0$**인 경우에는 감소하다가 증가한다. 즉, 닫힌구간** $[0,\ k]$**에서** $f(x)$**의 최댓값은** $f(0)$**과** $f(k)$**중 하나이다. 따라서 닫힌구간** $[-k,\ k]$**에서** $f(x)$**의 최댓값은** $f(-k)$**와** $f(k)$**중 하나이다. 이때** $f(-k)=(2+k)a^2+(8k+4)a+16k$**를** $g_1(a)$, $f(k)=(2-k)a^2+(4-k^2)a+k^3$**을** $g_2(a)$**라고 하면,**

$$g(a)=\begin{cases} g_1(a) & (g_1(a)\ge g_2(a)) \\ g_2(a) & (g_1(a)<g_2(a)) \end{cases}$$

이다.

함수 $g_1(a)$**은 아래로 볼록한 이차함수이므로 꼭짓점** $(v,\ g_1(v))$**에서 최솟값** $g_1(v)$**를 갖는다. 한편** $g_1(a)-g_2(a)=2ka^2+(k^2+8k)a+16k-k^3$**은** a^2**의 계수가 양수인 이차함수이다.**

(1) $g_1(a)-g_2(a)=0$**인** a**가 없거나 중근을 가질 경우의** k**에 대하여 모든 실수** a**에서** $g_1(a)-g_2(a)\ge0$**이므로** $g(a)=g_1(a)$**가 되어** $g_1(v)=m$**이고, 이러한** a**는** v**뿐이다. 따라서** $k\in A$**이다.**

(2) 이차방정식 $g_1(a)-g_2(a)=0$**가 서로 다른 두 근** $\alpha,\ \beta(\alpha<\beta)$**를 가지게 하는** k**에 대하여**

$$g(a)=\begin{cases} g_1(a) & (a<\alpha,\ a>\beta) \\ g_2(a) & (\alpha\le a\le\beta) \end{cases}$$

이다. $g(a)\ge g_1(a)$**이므로,** $v<\alpha$**이거나** $v>\beta$**인 경우에는** $g(a)$**가** v**에서 유일한 최솟값을 가지게 되어** $k\in A$**이다. 따라서** $\alpha<v<\beta$**인 경우만 확인하면 되고, 이때 함수** $g(a)$**는** $a<\alpha$**에서 감소하고** $a>\beta$**에서 증가하므로** $g(a)=m$**을 만족하는** a**는 구간** $[\alpha,\ \beta]$**안에서만 존재한다. 함수** $g_2(a)$**가 아래로 볼록일 경우 최솟값을 갖는** a**의 값은 두 개 이상 존재할**

수 없다. 따라서 $g_2(a)$는 위로 볼록이거나 일차함수이어야 한다.

(i) $g_2(a)$가 일차함수이면 $k=2$이고 $g_2(a)=8$이다. 이때 $\alpha=-3$, $\beta=-2$이므로 $-3 \le a \le 2$인 모든 a에 대하여 최솟값 $g_2(a)=8$을 가진다. 2는 A에 속하지 않는다.
(ii) $g_2(a)$가 위로 볼록인 경우 $g_2(\alpha)=g_2(\beta)$일 때만 $g(a)=m$인 a의 값을 α, β로 두 개 이상 가질 수 있고, 이때 $g_1(\alpha)=g_1(\beta)$이기도 하므로 두 함수 $g_1(a)$와 $g_2(a)$는 v에서 극솟값을 갖는다.

$g_2{}'(a)=2(2-k)a+4-k^2$**에서** $g_2{}'(v)=0$**이므로** $v=-\dfrac{2+k}{2}$**이고,**

$g_1{}'(v)=2(2+k)v+(8k+4)$**에서** $-(2+k)^2+(8k+4)=0$**, 즉** $k(k-4)=0$**이고** $k=4$**이다.**
이때 $\alpha=-6$, $\beta=0$에서 최솟값 64를 가지므로 4는 A에 속하지 않는다.
따라서
(1), (2)(i), (2)(ii)에 의해 A에 속하지 않는 양수 k는 2와 4이다.

3. 2024학년도 가톨릭대 모의 논술

[문항 1]
논제 1 (30점) 제시문 (ㄴ)의 삼각형 ACD의 둘레의 길이를 L의 값을 구하고 그 근거를 논술하시오.

[문항 2]
논제 1 (15점) 제시문 (ㄱ)의 함수 $f(x)$를 구하고 그 근거를 논술하시오.

논제 2 (15점) 제시문 (ㄴ)의 a, b의 값을 구하고 그 근거를 논술하시오.

[문항 3]
논제 1 (20점) 제시문 (ㄴ)의 수열 $\{c_n\}$에 대하여 c_7의 값을 구하고 그 근거를 논술하시오.

논제 2 (20점) 제시문 (ㄴ)의 S_{19}의 값을 구하고 그 근거를 논술하시오.

[문항 1]
논제 1(30점)
$\sin(A+C)=\sin(\pi-B)=\sin B$ **이므로**

$$4\sin B\sin(A+C)=3 \iff 4\sin B\sin B=3 \implies$$
$$\sin B=\frac{\sqrt{3}}{2}\,(\because B<\pi)$$

이고, 주어진 원의 반지름이 $R=2$이므로 사인법칙에 의해,

$$\frac{\overline{\mathrm{AC}}}{\sin B}=2R=4 \quad \Leftrightarrow \quad \overline{\mathrm{AC}}=4\sin B=2\sqrt{3}$$

이다.

원의 중심 O에서 삼각형 AOC의 밑변 $\overline{\mathrm{AC}}$에 내린 수선의 발을 H라 할 때, 삼각형 AOC의 높이 $\overline{\mathrm{OH}}$는 피타고라스 정리에 의해

$$\overline{\mathrm{OH}}^2=\overline{\mathrm{AO}}^2-\overline{\mathrm{AH}}^2=1 \quad \Leftrightarrow \quad \overline{\mathrm{OH}}=1$$

제시문 (ㄴ)에 의해 삼각형 ADC의 넓이는 삼각형 AOC의 넓이의 3배이므로 삼각형 ADC의 높이는 삼각형 AOC의 높이의 3배인 3이어야 하고 원의 반지름이 2이므로 점 D는 $\overline{\mathrm{AC}}$의 수직 이등분선이 원과 만나는 점이어야 한다.

따라서, 삼각형 ADC는 높이가 3인 정삼각형이므로 구하고자 하는 삼각형 ADC의 둘레의 길이는 $6\sqrt{3}$이다.

[문항 2]

논제 1(15점)

$h(x)=f(x)-x$라 하자.

$h(0)=f(0)-0=0$이고 방정식 $h(x)=f(x)-x=0$의 서로 다른 실근의 개수는 2이므로 $h(x)=x^2(x-\alpha)$ 또는 $h(x)=x(x-\alpha)^2$이다. (단, $\alpha\neq 0$)

1) $h(x)=x^2(x-\alpha)$인 경우:

$f(x)=x^2(x-\alpha)+x$이고 $f'(x)=3x^2-2\alpha x+1$이다.

따라서 $1=f'(1)=4-2\alpha$, 즉 $\alpha=\dfrac{3}{2}$이다. $f'(x)=3x^2-3x+1$에서 $D/4=9-12<0$이므로 모든 실수 x에 대하여 $f'(x)>0$이다. 즉 $f(x)$는 극값을 갖지 않는다.

2) $h(x)=x(x-\alpha)^2$인 경우:

$f(x)=x(x-\alpha)^2+x$이고, $f'(x)=3x^2-4\alpha x+\alpha^2+1$이다.

따라서 $1=f'(1)=\alpha^2-4\alpha+4$, 즉 $(\alpha-1)(\alpha-3)=0$이다.

(i) $\alpha=1$인 경우:

$f'(x)=3x^2-4x+2$에서 $D/4=4-6<0$이므로 $f(x)$는 극값을 갖지 않는다.

(ii) $\alpha=3$인 경우:

$f'(x)=3x^2-12x+10$에서 $D/4=36-30>0$이므로 $f(x)$는 극값을 가진다.

따라서 $f(x)=x^3-6x^2+10x$이다.

논제 2 (15점)

제시문 (ㄴ)의 함수 $g(x)$가 $x=a$에서 미분가능하므로

$\lim_{x\to a-}g(x)=\lim_{x\to a+}g(x)$이고 $\lim_{x\to a-}\dfrac{g(x)-g(a)}{x-a}=\lim_{x\to a+}\dfrac{g(x)-g(a)}{x-a}$이다.

$\lim_{x \to ^-} g(x) = f(a)$,이므로 $\lim_{x \to a+} g(x) = f(a+b)$, $f(a) = f(a+b)$이고

$$\lim_{x \to a-} \frac{g(x)-g(a)}{x-a} = f'(a)$$

$\lim_{x \to a+} \frac{g(x)-g(a)}{x-a} = \lim_{x \to a+} \frac{f(x+b)-f(a+b)}{(x+b)-(a+b)} = f'(a+b)$이므로

$f'(a) = f'(a+b)$이다.

이차 방정식 $f'(x) = f'(a)$의 서로 다른 두 실근이 a, $a+b$이고 $f'(x) = 3x^2 - 12x + 10$이므로 근과 계수의 관계로부터 두 근 a, $a+b$의 합은 $2a+b=4$, 즉 $a+b=4-a$이다.

그런데 b가 양수이므로 $a < a+b = 4-a$, 즉 $a<2$이다.

$f(x) - f(a) = (x-a)(x^2 + (a-6)x + a^2 - 6a + 10)$이고 $a+b = 4-a$가

방정식 $f(x) - f(a) = 0$의 한 근이므로 $(4-a)^2 + (a-6)(4-a) + a^2 - 6a + 10 = 0$이다.

즉, $a^2 - 4a + 2 = 0$이므로 $a = 2 \pm \sqrt{2}$이다. $a<2$이므로 $a = 2-\sqrt{2}$이고 $b = 4-2a = 2\sqrt{2}$이다. 따라서 $a = 2-\sqrt{2}$, $b = 2\sqrt{2}$이다.

[문항 3]

논제 1(20점)

수열 $\{a_n\}$의 공차를 d_1, 수열 $\{b_n\}$의 공차를 d_2라고 하면, S_n이 $n=19$일 때 최댓값을 가지므로 d_2는 양수가 아님을 알 수 있다.

또한 c_1이 음수이므로, d_1이 양수가 아니면 모든 c_n이 음수이므로 S_n은 $n=1$일 때 최댓값을 가지게 되어 모순이 된다. 따라서 $d_1 > 0$, $d_2 \le 0$이고 $c_{16} = c_{17} + 6$에서 $d_2 = -6$, $K \le 16$임을 알 수 있다.

또한 S_n이 $n=19$일 때 최댓값을 가지므로 $c_{19} \ge 0$, $c_{20} \le 0$을 만족한다. 만일 $K \le 11$이라고 하면, $0 \le c_{19} = c_{11} + (19-11)d_2$에서 $c_K \ge c_{11} \ge 48$을 만족하고 $c_1 = -20$이므로

$$S_K = \frac{K(-20+c_K)}{2} \ge \frac{K(-20+48)}{2} > 0$$

이고 $K \le k \le 11$일 때 $c_k \ge c_{11}$이므로 $S_{11} \ge S_K > 0$이 되어 모순이다.

따라서 $K > 11$이고

$S_{11} = \frac{11(-40+10d_1)}{2} = 0$으로부터 $d_1 = 4$임을 알 수 있다. 따라서 $c_7 = -20 + 6d_1 = 4$이다.

논제 2 (20점)

논제 1로 부터 c_1, $\cdots$, c_K는 공차가 4인 등차수열을 이루고, c_K, c_{K+1}, $\cdots$은 공차가 -6

인 등차수열을 이루므로 $n \ge K$를 만족하는 n에 대하여

$$c_n = c_K + (n-K)d_2$$
$$=-20+4(K-1)-6(n-K)$$
$$=-24+10K-6n$$

이다.

$c_{19} \ge 0$, $c_{20} \le 0$**이므로**

$$K \ge 13.8,\ K \le 14.4$$

따라서 $K=14$**이다.**

이때

$$S_{19} = S_{13} + (S_{19} - S_{13})$$
$$= \frac{13 \times (-40+4\times 12)}{2} + \frac{6\times(64+5\times(-6))}{2}$$
$$=52+102=154$$

4. 2023학년도 가톨릭대 수시 논술 (자연, 공학, 간호)

[문항 1]

논제 1. (15점) 제시문 (ㄱ)의 k의 값을 구하고 그 근거를 논술하시오.

논제 2. (15점) 제시문 (ㄴ)의 집합 S를 구하고 그 근거를 논술하시오.

[문항 2]

논제 1. (15점) 제시문 (ㄴ)의 M의 값을 구하고 그 근거를 논술하시오.

논제 2. (15점) 제시문 (ㄱ)의 함수 $f(x)$와 제시문 (ㄷ)의 a에 대하여 $f(a)$의 값을 구하고 그 근거를 논술하시오.

[문항 3]

논제 1. (20점) 제시문 (ㄴ)의 S의 값을 구하고 그 근거를 논술하시오.

논제 2. (20점) 제시문 (ㄷ)의 M의 값을 구하고 그 근거를 논술하시오.

[문항 1]

논제 1.

제시문 (ㄱ)의 (가)에 의해서

$$f(x)=(x-2)(2x^2-2kx+k^2-6)$$

실수 α, β**에 대하여** $z=\alpha+\beta i$**라 하자. 제시문 (ㄱ)의 (다)에 의해서**

$$3\alpha-1-3\beta i=\overline{3z-1}=2z-\frac{5}{3}i=2\alpha+\left(2\beta-\frac{5}{3}\right)i$$

이 되고 $\alpha=1,\ \beta=\frac{1}{3}$**이다. 따라서 방정식** $f(x)=0$**의 한 허근은** $3z-1=2+i$**이다.**

$$f(2+i)=i\left(2(3+4i)-2k(2+i)+k^2-6\right)=(k-4)(2+ki)=0$$

이므로 $k=4$**이다.**

논제 2.

$f(x)=2x^3-12x^2+26x-20$**이므로** $f'(x)=6x^2-24x+26=6(x-2)^2+2>0$**이다. 따라서 모든 실수** x**에 대하여**

$$-3x^2+12x-13\le ax^2-2(a+3)x+11\le 3x^2-12x+13$$

즉,

$$\begin{cases}(3-a)x^2-2(3-a)x+2\ge 0\\(a+3)x^2-2(a+9)x+24\ge 0\end{cases}$$

을 만족시키는 모든 실수 a**의 값의 집합이** S**이다.**

1) $a=3$**인 경우**

모든 실수 x**에 대하여**

$(3-a)x^2-2(3-a)x+2=2\ge 0$**이고** $(a+3)x^2-2(a+9)x+24=6(x-2)^2\ge 0$**이다. 따라서** $a=3$**은 집합** S**의 원소이다.**

2) $a=-3$**인 경우**

$x=3$**일 때,** $(a+3)x^2-2(a+9)x+24=-12(x-2)=-12<0$**이다. 따라서** $a=-3$**은 집합** S**의 원소가 아니다.**

3) $a\ne 3,\ \ a\ne -3$**인 경우**

모든 실수 x**에 대하여 위의 두 이차부등식이 성립하기 위한 조건은**

$$3-a>0,\ (3-a)^2-2(3-a)=(a-1)(a-3)\le 0$$

이고

$$a+3>0,\quad (a+9)^2-24(a+3)=(a-3)^2\le 0$$

이다. 따라서 $a\ne 3,\ a\ne -3$**인 실수** a**는 집합** S**의 원소가 아니다.**

1), 2), 3)**에 의해서** $S=\{3\}$.

[문항 2]

논제 1.

$\int_0^t f(5+x)dx=\int_0^t f(5-x)dx$**의 양변을** t**에 대하여 미분하면** $f(5+t)=f(5-t)$**이다.**

$g(x)=f(x+5)$라 하면 $g(x)$는 최고차항의 계수가 1인 사차함수이므로
$g(x)=x^4+c_3x^3+c_2x^2+c_1x+c_0$이다.
그런데, 임의의 실수 t에 대하여 $g(t)=f(t+5)=f(5-t)=g(-t)$, 즉 $t\left(c_3t^2+c_1\right)=0$이다.
$t=1$일 때 $c_3+c_1=0$이고, $t=2$일 때 $4c_3+c_1=0$이므로 $c_3=c_1=0$이다.
따라서 $g(x)=x^4+c_2x^2+c_0$이다.
$y=g(x)$의 그래프는 $y=f(x)$의 그래프를 x축의 방향으로 -5만큼 평행 이동한 그래프이므로 제시문 (ㄱ)의 (가)와 (다)에 의해 $g(-5)=0$이고 $g(x)$는 $x=5$에서 극값을 가진다.
그러므로 $g(-5)=625+25c_2+c_0=0$, $g'(5)=500+10c_2=0$, 즉 $c_2=-50$, $c_0=625$이다.
따라서

$$g(x)=x^4-50x^2+625=\left(x^2-25\right)^2=(x-5)^2(x+5)^2,$$
$$f(x)=g(x-5)=x^2(x-10)^2$$

이다.
함수 $f(x)$는 $x=0,\ 10$에서 극솟값 $f(0)=f(10)=0$을 가지고, $x=5$에서 극댓값 $f(5)=625$을 갖는다. 따라서 방정식 $x^2(x-10)^2=k$의 서로 다른 양의 실근의 개수는 $0<k<625$일 때 3이고, $k>625$일 때 1이다. 그러므로 $M=625$이다.

논제 2.
$f(a)=f(b)=f(c)=k$라 하자. $a,\ b,\ c$가 방정식 $f(x)=k$, 즉 $x^2(x-10)^2=k$의 서로 다른 세 양의 실 근이므로 $0<k<625$이다.
$g(x)=f(x+5)=\left(x^2-25\right)^2=x^4-50x^2+625$라 하면, 함수 $y=g(x)$는 $x=-5$, $x=5$에서 극솟값 $g(-5)=g(5)=0$을 가지고 $x=0$에서 극댓값 $g(0)=625$를 가진다. 그러므로 방정식 $g(x)=k$는 서로 다른 네 실근 $-\beta$, $-\alpha$, α, β(단, $0<\alpha<5<\beta$)를 갖는다. 따라서

$$g(x)-k=(x-\alpha)(x+\alpha)(x-\beta)(x+\beta)=x^4-\left(\alpha^2+\beta^2\right)x^2+\alpha^2\beta^2$$

이다. 또한 $g(x)-k=x^4-50x^2+625-k$이므로 $\alpha^2+\beta^2=50$, $\alpha^2\beta^2=625-k$이다.
$f(5-\beta)=g(-\beta)=k$, $f(5-\alpha)=g(-\alpha)=k$, $f(5+\alpha)=g(\alpha)=k$, $f(5+\beta)=g(\beta)=k$
이므로 방정식 $f(x)=k$의 서로 다른 네 실근은 $5-\beta$, $5-\alpha$, $5+\alpha$, $5+\beta$이다.
$0<\alpha<5<\beta$이므로 $5-\beta<0<5-\alpha<5+\alpha<5+\beta$가 되어
$a=5-\alpha$, $b=5+\alpha$, $c=5+\beta$이다.
제시문 (ㄷ)의 (다)에 의해 $c-a=\sqrt{70}$이므로
$2\alpha\beta=(\alpha+\beta)^2-\left(\alpha^2+\beta^2\right)=(c-a)^2-50=20$, $\alpha\beta=10$이다.
따라서 $100=\alpha^2\beta^2=625-k$이고, $f(a)=k=525$이다.

[문항 3]
논제 1.

원 $x^2+y^2=9$ **위의 한 점** $(a,\ b)$**에서의 접선이 점** A**를 지난다고 하자. 접선의 방정식은**

$ax+by=9$**이고, 이 접선이 점** $\mathrm{A}(-5,\ 0)$**를 지나므로** $-5a=9$**이다. 즉,** $a=-\dfrac{9}{5}$**이다.**

점 $(a,\ b)$**는 원 위에 있으므로** $a^2+b^2=9$**이고,** $b=\pm\dfrac{12}{5}$**이다.**

제시문 (ㄱ)에 의하여 $\mathrm{C}\left(-\dfrac{9}{5},\ \dfrac{12}{5}\right)$**이고** $\mathrm{D}\left(-\dfrac{9}{5},\ -\dfrac{12}{5}\right)$**이다.**

$\overline{\mathrm{AB}}=\sqrt{10}$**이고 직선** AB**의 방정식은** $3x-y+15=0$**이므로 점** C, D**에서 직선** AB**까지의 거리는 각각**

$$\frac{|-27-12+75|}{5\sqrt{10}}=\frac{36}{5\sqrt{10}},\quad \frac{|-27+12+75|}{5\sqrt{10}}=\frac{12}{\sqrt{10}}$$

이다. 따라서 $S=\dfrac{1}{2}\times\sqrt{10}\times\dfrac{12}{\sqrt{10}}=6$

논제 2.

두 점 P, Q**의 중점을** $\mathrm{R}(c,\ d)$**라 하자. 원점** O**에 대해 삼각형** OPQ**는** $\overline{\mathrm{OP}}=\overline{\mathrm{OQ}}=3\sqrt{2}$**인 이등변삼각형이므로 선분** PQ**와 선분** OR**은 수직이고** $\overline{\mathrm{OR}}^2+\overline{\mathrm{RP}}^2=18$**, 즉** $\overline{\mathrm{OR}}=3$**이다. 따라서 직선** PQ**는 원** $x^2+y^2=9$ **위의 점** $\mathrm{R}(c,\ d)$**에서의 접선,** $cx+dy=9$**와 같다. 논제 1에서** $c=-\dfrac{9}{5}$**이면 점** A, P, Q**가 한 직선 위에 있으므로** $-3\le c\le 3,\ c\neq-\dfrac{9}{5}$**이다.**

역으로 원 $x^2+y^2=9$ **위의 한 점** $\mathrm{R}(c,\ d)$**(단,** $-3\le c\le 3,\ c\neq-\dfrac{9}{5}$**)에서의 접선이 원** $x^2+y^2=18$**과 만나는 두 점을 각각** P, Q**라 하면 점** P, Q**는 제시문 (ㄷ)의 조건을 모두 만족시킨다.**

삼각형 APQ**의 넓이는** $\dfrac{1}{2}\times\overline{\mathrm{PQ}}\times\dfrac{|5c+9|}{\sqrt{c^2+d^2}}=|5c+9|$**이므로** $-3\le c\le 3,\ c\neq-\dfrac{9}{5}$**일 때** $|5c+9|$**의 최댓값이** M**이다. 따라서** $M=|5\times3+9|=24$**이다.**

5. 2023학년도 가톨릭대 수시 논술 (의예, 약학)

[문항 1]

논제. (160점) 제시문 (ㄷ)의 집합 C의 원소의 개수를 구하고 그 근거를 논술하시오.

[문항 2]

논제. (170점) 제시문 (ㄹ)의 M의 값을 구하고 그 근거를 논술하시오.

[의예과 문항3]

논제. (180점) 제시문 (ㄷ)의 s에 대하여 s^4의 값을 구하고 그 근거를 논술하시오.

[의예과 문항 4, 약학과 문항 3]

논제. (190점) 제시문 (ㄴ)의 S의 값을 구하고 그 근거를 논술하시오.

[문항 1]

모든 실수 x에 대해, $\log_{\left(\frac{1}{2}k-5\right)}\left(-(k-11)x^2+(k-11)x+2\right)$가 정의되기 위한 실수 k는

① $\frac{1}{2}k-5>0$, $\frac{1}{2}k-5\neq 1$,

② 모든 실수 x에 대해, $-(k-11)x^2+(k-11)x+2>0$

이 성립해야 한다.

① $\frac{1}{2}k-5>0$, $\frac{1}{2}k-5\neq 1 \Rightarrow k>10$, $k\neq 12$

② ㉠ $k\neq 11$**일 때**

$-(k-11)>0$**이고** $D=(k-11)^2-4(-2(k-11))=(k-3)(k-11)<0$**이므로** $3<k<11$ **이다.**

㉡ $k=11$**일 때**

$-(k-11)x^2+(k-11)x+2=2>0$**이 성립한다.**

따라서, ㉠, ㉡에 의해 이를 만족하는 실수 k의 범위는 $3<k\leq 11$**이다.**

①, ②에 의해, 집합 $A=\{k|10<k\leq 11\}$**이다.**

제시문 (ㄴ)의 집합 B의 정의에 의해, $n>1$이면서 집합 B의 원소인 정수의 순서쌍 $(m,\ n)$은

$$10<\frac{1}{3}m^2+n\leq 11 \Rightarrow 10-\frac{1}{3}m^2<n\leq 11-\frac{1}{3}m^2$$

을 만족시키므로, 집합 B에 속하는 원소를 모두 나열해보면 다음과 같다.

$$m=0:10<n\leq 11\Rightarrow n=11$$
$$m=\pm 1:\frac{29}{3}<n\leq\frac{32}{3}\Rightarrow n=10$$
$$m=\pm 2:\frac{26}{3}<n\leq\frac{29}{3}\Rightarrow n=9$$
$$m=\pm 3:7<n\leq 8\Rightarrow n=8$$
$$m=\pm 4:\frac{14}{3}<n\leq\frac{17}{3}\Rightarrow n=5$$
$$m=\pm 5:\frac{5}{3}<n\leq\frac{8}{3}\Rightarrow n=2$$

한편, 제시문 (ㄷ)의 집합 C의 정의에 의해, 순서쌍 $(m,\ n)\in B$이 집합 C의 원소이기 위해서는, m의 n제곱근 중 실수가 존재해야 한다.

㉠ $m=0$인 경우

0의 n제곱근은 임의의 정수 n에 대해서 0이므로, $(0,\ 11)$은 C의 원소이다.

㉡ $m \neq 0$인 경우

ⓐ n이 짝수일 때

n이 짝수일 경우, m의 n제곱근 중 실수는 $m>0$일 때 존재한다. 따라서, 집합 B에 속하는 정수의 순 서쌍 $(m,\ n)$중, n이 짝수이면서 $n>1$인 경우를 생각해보면 다음과 같다.

$$n=2\text{일때},\ m=5 \Rightarrow (5,\ 2)$$
$$n=8\text{일때},\ m=3 \Rightarrow (3,\ 8)$$
$$n=10\text{일때},\ m=1 \Rightarrow (1,\ 10)$$

ⓑ n이 홀수일 때

n이 홀수일 경우, m의 n제곱근 중 실수는 유일하게 하나 존재한다. 따라서, 집합 B에 속하는 정수의 순서쌍 $(m,\ n)$중, n이 홀수인 경우를 생각해보면 다음과 같다.

$$n=5\text{일때},\ m=\pm 4 \Rightarrow (-4,\ 5),\ (4,\ 5)$$
$$n=9\text{일때},\ m=\pm 2 \Rightarrow (-2,\ 9),\ (2,\ 9)$$

따라서, 집합 C의 원소의 개수는 8개다.

[문항 2]

두 원에 동시에 접하는 직선을 $y=ax+b$이라 표현하면, 원 $C_1:(x-1)^2+y^2=\frac{1}{5}$과의 거리가 $\frac{1}{\sqrt{5}}$이고 원 $C_2:(x+2)^2+(y+3)^2=\frac{4}{5}$와의 거리가 $\frac{2}{\sqrt{5}}$이므로 두 식

$$\frac{|a+b|}{\sqrt{a^2+1}}=\frac{1}{\sqrt{5}},\ \frac{|-2a+b+3|}{\sqrt{a^2+1}}=\frac{2}{\sqrt{5}}$$

를 만족시킨다. 즉,

$$2|a+b|=|-2a+b+3|,\ 5(a+b)^2=(a^2+1)$$

을 만족하는 a, b의 쌍을 구하면 두 원에 접하는 접선을 모두 찾을 수 있다.

i) $2(a+b)=(-2a+b+3)$인 경우, $b=-4a+3$이므로 이를 두 번째 식에 대입하면 $44a^2-90a+44=0$을 얻을 수 있고, $a=\frac{45\pm\sqrt{45^2-44^2}}{44}=\frac{45\pm\sqrt{89}}{44}$이다.

ii) $2(a+b)=(2a-b-3)$인 경우, $b=-1$이므로 이를 대입하면 $a=2$ 혹은 $\frac{1}{2}$이다.

따라서 $2>\frac{45+\sqrt{89}}{44}>\frac{45-\sqrt{89}}{44}>\frac{1}{2}$이므로 직선 l은 $y=2x-1$, 직선 m은 $y=\frac{1}{2}x-1$이다.

이제 $f(t)=\sin(\angle P_1\ A_1Q_1)$을 구해보자. 사인법칙에 의해 $\sin(\angle P_1\ A_1Q_1)=\frac{\sqrt{5}}{2}\overline{P_1Q_1}$이

고, $\overline{P_1Q_1}$과 원 C_1의 중심 사이의 거리는 점과 직선의 거리에 의해 $\dfrac{\left|\frac{1}{2}-1+t\right|}{\sqrt{\frac{1}{4}+1}}=\dfrac{|2t-1|}{\sqrt{5}}$

이므로

$$\overline{P_1Q_1}=2\sqrt{\frac{1}{5}-\frac{(2t-1)^2}{5}}=\frac{4\sqrt{t-t^2}}{\sqrt{5}}$$

이다. 즉, $f(t)=2\sqrt{t-t^2}$ 이다.

$g(t)=\sin(\angle P_2A_2Q_2)$의 경우 $\sin(\angle P_2A_2Q_2)=\dfrac{\sqrt{5}}{4}\overline{P_2Q_2}$이고, $\overline{P_2Q_2}$와 원 C_2의 중심 사이의 거리는 $\dfrac{|-4-1+t+3|}{\sqrt{4+1}}=\dfrac{|t-2|}{\sqrt{5}}$이므로

$$\overline{P_2Q_2}=2\sqrt{\frac{4}{5}-\frac{(t-2)^2}{5}}=\frac{2\sqrt{4t-t^2}}{\sqrt{5}}$$

이고, $g(t)=\dfrac{\sqrt{4t-t^2}}{2}$이다.

따라서 제시문 (ㄹ)의 함수는 $y=f(t)g(t)=\sqrt{(t-t^2)(4t-t^2)}$이다. 4차함수 $(t-t^2)(4t-t^2)$와 함수의 증감이 동일하므로 미분이 0이 되는 t를 찾으면 $8t-15t^2+4t^3=0$에서 $t=0$, $\dfrac{15\pm\sqrt{97}}{8}$이다. 즉, $y=f(t)g(t)$의 증감표는 정의역 $(0,\ 1)$에서 다음과 같다.

t	$\cdots$	$\frac{15-\sqrt{97}}{8}$	$\cdots$
$f(t)g(t)$	↗	최댓값	↘

따라서 $M=\dfrac{15-\sqrt{97}}{8}$이다.

[의예과 문항 3]

$F(x)=x$, $G(x)=\dfrac{1}{(1+x^4)^{\frac{1}{4}}}$라 하자. 부분적분법에 의하여

$$\int_0^t \frac{1}{(1+x^4)^{\frac{1}{4}}}dx=\int_0^t F'(x)G(x)dx$$

$$=[F(x)G(x)]_0^t-\int_0^t F(x)G'(x)dx$$

$$=\left[\frac{x}{(1+x^4)^{\frac{1}{4}}}\right]_0^t+\int_0^t \frac{x^4}{(1+x^4)^{\frac{5}{4}}}dx$$

따라서, 제시문 (ㄱ)의 함수는 다음과 같다.

$$f(t)=\int_0^t \frac{1}{(1+x^4)^{\frac{1}{4}}}dx-\int_0^t \frac{x^4}{(1+x^4)^{\frac{1}{4}}}dx$$

$$=\left[\frac{x}{(1+x^4)^{\frac{1}{4}}}\right]_0^t+\int_0^t \frac{x^4}{(1+x^4)^{\frac{1}{4}}}dx-\int_0^t \frac{x^4}{(1+x^4)^{\frac{1}{4}}}dx=\frac{t}{(1+t^4)^{\frac{1}{4}}}$$

$f(t)$**가** $[0,\ 1]$**에서** $f(t)\geq 0$**이므로 제시문 (ㄷ)의** s**는**

$$s=\int_0^1 |v(t)|dx=\int_0^1 v(t)dx=\int_0^1 \frac{3t^3}{(1+t^4)^{\frac{1}{4}}}dt+\int_0^1 3t^2dt=\int_0^1 \frac{3t^3}{(1+t^4)^{\frac{1}{4}}}dt+1$$

위의 적분에서 $u=1+t^4$**로 치환하면 치환적분법에 의해서**

$$\int_0^1 \frac{3t^3}{(1+t^4)^{\frac{1}{4}}}dt=\frac{3}{4}\int_1^2 u^{-\frac{1}{4}}du=\left[u^{\frac{3}{4}}\right]_1^2=2^{\frac{3}{4}}-1$$

이므로

$$s=\int_0^1 \frac{3t^3}{(1+t^4)^{\frac{1}{4}}}dt+1=2^{\frac{3}{4}}$$

따라서 $s^4=8$

[의예과 문항 4, 약학과 문항 3]

제시문 (ㄱ)의 (다)는 범위에 포함되는 x**와** $1\leq k\leq 5n$**인 모든 자연수에 대하여**

$$\frac{1}{k}\ln\frac{k}{x}\leq\frac{1}{n}\ln\frac{n}{x}$$

이 성립함을 말한다. 그런데, 자연수 k**와 임의의 양의 실수** x**에 대하여**

$$\frac{1}{k}\ln\frac{k}{x}-\frac{1}{k+1}\ln\frac{k+1}{x}=\frac{1}{k(k+1)}\ln\frac{k^{k+1}}{(k+1)^k x}\quad\cdots\cdots(*)$$

이므로, $x\leq\frac{k^{k+1}}{(k+1)^k}$**이면** $\frac{1}{k}\ln\frac{k}{x}\geq\frac{1}{k+1}\ln\frac{k+1}{x}$**이고,** $x>\frac{k^{k+1}}{(k+1)^k}$**이면**

$\frac{1}{k}\ln\frac{k}{x}<\frac{1}{k+1}\ln\frac{k+1}{x}$**이다. 이 때,**

$$\frac{(k-1)^k}{k^{k-1}}\Bigg|,\ \frac{k^{k+1}}{(k+1)^k}=\left(\frac{k^2-1}{k^2}\right)^k<1\quad\cdots\cdots(**)$$

이므로 $\frac{(k-1)^k}{k^{k-1}}<\frac{k^{k+1}}{(k+1)^k}$**이 성립하여,** k**가 증가함에 따라** $\frac{1}{k}\ln\frac{k}{x}$**는 증가하다가 감소하**

는 형태가 된다. 따라서, 제시문 (ㄱ)의 (다)가 성립하려면, $\frac{1}{k}\ln\frac{k}{x}$이 $1 \le k \le n$에서 증가하고 $n \le k \le 5n$에서는 감소해야 한다. 식 (*)에 $k=n$을 넣으면 $x \le \frac{n^{n+1}}{(n+1)^n}$인 경우,

$$\frac{1}{n}\ln\frac{n}{x} \ge \frac{1}{n+1}\ln\frac{n+1}{x} \ge \frac{1}{n+2}\ln\frac{n+2}{x} \ge \cdots \ge \frac{1}{5n}\ln\frac{5n}{x}$$

임을 알 수 있다, 식 (*)에 $k=n-1$을 넣으면 $\frac{(n-1)^n}{n^{n-1}} < x$인 경우,

$$\frac{1}{n}\ln\frac{n}{x} > \frac{1}{n-1}\ln\frac{n-1}{x} > \frac{1}{n-2}\ln\frac{n-2}{x} > \cdots > \ln\frac{1}{x}$$

가 된다. 또한 (**)에 의하여 $\frac{(n-1)^n}{n^{n-1}} < \frac{n^{n+1}}{(n+1)^n}$ [제시문 (ㄱ)의 (나)]이므로,

$a_n = \frac{(n-1)^n}{n^{n-1}}$**이다.** $\left(\frac{a_n}{n}\right)^{\frac{1}{n}} = \frac{n-1}{n}$, $\left(\frac{a_{n+1}}{n}\right)^{\frac{1}{n}} = \frac{n}{n+1}$**이므로,**

$$S = \sum_{n=1}^{\infty}\left\{\left(\frac{a_{n+1}}{n}\right)^{1/n} - \left(\frac{a_n}{n}\right)^{1/n}\right\} = \sum_{n=1}^{\infty}\left(\frac{1}{n} - \frac{1}{n+1}\right) = 1$$

이다.

6. 2023학년도 가톨릭대 모의 논술

[문항 1]

논제 1. (10점) 상수 a, b, c의 값을 구하고 그 근거를 논술하시오.

논제 2. (20점) 제시문 (ㄷ)의 점 P, Q, R에 대하여 $\overline{PQ}+\overline{PR}$의 최솟값을 구하고 그 근거를 논술하시오.

[문항 2]

논제 1. (15점) 제시문 (ㄱ)의 수열 $\{a_n\}$의 일반항을 구하고 그 근거를 논술하시오.

논제 2. (15점) 제시문 (ㄴ)의 S의 값을 구하고 그 근거를 논술하시오.

[문항 3]

논제 1. (20점) 제시문 (ㄷ)의 집합 A를 구하고 그 근거를 논술하시오.

논제 2. (20점) 방정식 $h(x)=0$이 중근을 가지도록 하는 모든 실수 a에 대하여 $\int_{\alpha}^{\beta}|g(x)|dx$의 최솟값을 구하고 그 근거를 논술하시오.

[문항 1]

(논제 1) (10점)

제시문 (ㄱ)의 조건 (2), (3)에 의해 직선 $y=x-3$과 직선 $y=-x+5$의 교점인 $(4,\ 1)$이 두 점근선의 교점이므로, 점근선은 $x=4,\ y=1$이다.

따라서, 어떤 상수 k에 대하여 $f(x)=\dfrac{k}{x-4}+1$로 쓸 수 있고, 제시문 (ㄱ)의 조건 (1)에 의해 $2=f(13)=\dfrac{k}{13-4}+1$을 만족하므로 $k=9$임을 알 수 있다.

따라서, $f(x)=\dfrac{9}{x-4}+1=\dfrac{x+5}{x-4}$이고, $a=-4,\ b=1,\ c=5$이다.

(논제 2) (20점)

곡선 $y=f(x)$ 위의 한 점 $\mathrm{P}(x,\ y)$에서 점근선 $y=1$에 내린 수선의 발은 Q, 점근선 $x=4$에 내린 수선의 발은 R이다. $\overline{\mathrm{PQ}}=|x-4|$, $\overline{\mathrm{PR}}=|y-1|$이고, $\mathrm{P}(x,\ y)$는 곡선 $y=f(x)$위의 점이므로 논제 1에 의해 다음을 만족시킨다.

$$y-1=\frac{9}{x-4}$$

$\overline{\mathrm{PQ}}$와 $\overline{\mathrm{PR}}$는 양수이므로, 절대부등식에 의해

$$\overline{\mathrm{PQ}}+\overline{\mathrm{PR}}=|x-4|+|y-1|=|x-4|+\frac{9}{|x-4|}\ge 2\sqrt{|x-4|\frac{9}{|x-4|}}=6$$

이고, 등호조건 $|x-4|=|y-1|=3$을 만족하는 점 $\mathrm{P}(x,\ y)$가 곡선 $y=f(x)$ 위에 있으므로 $\overline{\mathrm{PQ}}+\overline{\mathrm{PR}}$의 최솟값은 6이다.

[문항 2]

(논제 1) (15점)

제시문 (ㄱ)에서 주어진 함수 $f(x)$의 도함수는 $f'(x)=(-1)^n(3x^2-6x+3-12n^4)$이고 인수분해하면

$$f'(x)=3(-1)^n(x-(1-2n^2))(x-(1+2n^2))$$

이다.

이 때 $1-2n^2<1+2n^2$이므로, n이 홀수이면 최고차항이 음수가 되어 $f(x)$는 $x=1+2n^2$에서 극대이고, n이 짝수이면 최고차항이 양수가 되어 $f(x)$는 $x=1-2n^2$에서 극대이다. 그러므로 일반항은 $a_n=1-2(-1)^n n^2$이다.

(논제 2) (15점)

a_n은 n이 홀수일 때 $1+2n^2$이고 n이 짝수일 때 $1-2n^2$이므로

S는 다음과 같이 계산할 수 있다.

$$S=\sum_{n=1}^{10}(1-2(-1)^n n^2)=10+2\sum_{k=1}^{5}((2k-1)^2-(2k)^2)$$
$$=10+2\sum_{k=1}^{5}(-4k+1)=20-8\times\frac{5\times 6}{2}=-100$$

[문항 3]

(논제 1) (20점)

$f(1)=g(1)=0$**이므로 실수** a**의 값에 관계없이** $h(x)$**는** $(x-1)$**을 인수로 갖는다.** $h(x)=(x-1)(x^2+2x+7-a(2x+1))=(x-1)(x^2+2(1-a)x+7-a)$**로 인수분해를 하고, 편의상** $k(x)=x^2+2(1-a)x+7-a$**라고 하자. 이제 이차방정식** $k(x)=0$**이** 1**을 근으로 갖지 않으면서 서로 다른 두 실근을 갖도록 하는 모든 실수** a**를 구하면 된다.**

1. $k(1)=10-3a\neq 0$**이므로** $a\neq\frac{10}{3}$**이다.**

2. **판별식** $(1-a)^2-7+a=a^2-a-6=(a+2)(a-3)$**이 양수이므로** $a<-2$**or** $a>3$**이다.**

따라서, $A=\left\{a|a<-2\text{ or } 3<a<\frac{10}{3}\text{ or } \frac{10}{3}<a\right\}$**이다.**

(논제 2) (20점)

논제 1에 의해 방정식 $h(x)=0$**이 중근을 갖도록 하는 실수** a**는** $-2,\ 3,\ \frac{10}{3}$**이렇게 세 개가 있다.** $a=-2$**이면,** $\alpha=-3,\ \beta=1$**이고,** $a=3$**이면** $\alpha=1,\ \beta=2$**이고,** $a=\frac{10}{3}$**이면** $\alpha=1,\ \beta=\frac{11}{3}$**이다.**

우선 $\int_1^2|g(x)|dx<\int_1^{\frac{11}{3}}|g(x)|dx$**임은 당연하다.** $g(x)=(x-1)(2x+1)$**이므로** $x>1$ **혹은** $x<-\frac{1}{2}$**이면** $|g(x)|=g(x)$**이다.**

또한, 이차함수가 축에 대하여 대칭이라는 사실과 $-\frac{1}{2}-(-3)>2-1$**이라는 사실로부터** $\int_{-3}^1|g(x)|dx>\int_{-3}^{-\frac{1}{2}}|g(x)|dx>\int_1^2|g(x)|dx$**임을 알 수 있다. 따라서 최솟값은**

$$\int_1^2|g(x)|dx=\int_1^2(2x^2-x-1)dx=\frac{2}{3}\times(8-1)-\frac{1}{2}\times(4-1)-1=\frac{13}{6}$$

이다.

7. 2022학년도 가톨릭대 수시 논술 (자연, 공학, 간호)

[문항 1]

논제 1. (20점) 제시문 (ㄱ)의 a, b, c의 값을 각각 구하고 그 근거를 논술하시오.

논제 2. (10점) 제시문 (ㄴ)의 L의 값을 구하고 그 근거를 논술하시오.

[문항 2]

논제 1. (10점) 제시문 (ㄱ)의 a의 값을 구하고 그 근거를 논술하시오.

논제 2. (20점) 제시문 (ㄴ)의 b의 값을 구하고 그 근거를 논술하시오.

[문항 3]

논제 1. (20점) 제시문 (ㄴ)의 a, b의 값을 구하고 그 근거를 논술하시오.

논제 2. (20점) 제시문 (ㄷ)의 m, M에 대하여 $\frac{M}{m}$의 값을 구하고 그 근거를 논술하시오.

[문항 1]

논제 1.

$g(1)=2$**에서** $c=1$

$\lim_{x\to\infty}\frac{g'(x)}{f(x)}=\lim_{x\to\infty}\frac{nx^{n-1}+lx^{l-1}}{ax^{m+1}+bx^{m}}=1$**에서** $n=m+2$, $a=m+2$

$\lim_{x\to 0}\frac{xg(x)}{f(x)}=\lim_{x\to 0}\frac{x^{n+1}+x^{l+1}}{ax^{m+1}+bx^{m}}=\frac{1}{4}$**에서** $l=m-1$, $b=4$

$f(1)=8$**에서** $m=2$**이고** $a=4$, $b=4$.

따라서, $a=4$, $b=4$, $c=1$.

논제 2.

$f(x)=4x^3+4x^2$ 이고 $g(x)=x^4+x$**이므로**

$$L=\lim_{x\to -1}\frac{g(x)}{f(x)}=\lim_{x\to -1}\frac{x^4+x}{4(x^3+x^2)}=\lim_{x\to -1}\frac{x^3+1}{4x(x+1)}$$

$$=\lim_{x\to -1}\frac{x^2-x+1}{4x}=-\frac{3}{4}$$

[문항 2]

논제 1.

8회 동전을 던져 앞면이 나온 횟수를 m, **뒷면이 나온 횟수를** n**이라 하면** $m+n=8$**이다. 이동거리는** $16\le 3m+2n\le 24$**이므로 다시 꼭짓점** A**로 오기 위하여** $3m+2n$**는 4의 배수** 16, 20, 24**이다. 따라서** (m, n)**은** (0, 8), (4, 4), (8, 0)**이고 구하는 경우의 수** a**는**

$$a={}_8\mathrm{C}_0+{}_8\mathrm{C}_4+{}_8\mathrm{C}_8=72$$

이다.

논제 2.

8회 주머니에서 구슬을 뽑아 빨간, 노란, 파란 구슬이 나오는 횟수를 각각 l, m, n**이라 하면** $l+m+n=8$**이다. 이동거리는** $8\le 3l+2m+n\le 24$**이므로 다시 꼭짓점** A**로 오기 위**

하여 $3l+2m+n$는 8의 배수 8, 16, 24이다. 따라서 8과 24이려면 $(l,\ m,\ n)$는 $(0,\ 0,\ 8)$, $(8,\ 0,\ 0)$이고 경우의 수는 2이다. 한편 $l+m+n=8$이고 $3l+2m+n=16$인 경우는 $(l,\ m,\ n)$이 $(4,\ 0,\ 4)$, $(3,\ 2,\ 3)$, $(2,\ 4,\ 2)$, $(1,\ 6,\ 1)$, $(0,\ 8,\ 0)$이고 경우의 수는

$$ {}_8C_4 \times {}_4C_0 + {}_8C_3 \times {}_5C_2 + {}_8C_2 \times {}_6C_4 + {}_8C_1 \times {}_7C_6 + {}_8C_0 \times {}_8C_8 = 1107 $$

이다. 따라서 구하는 경우의 수 $b=2+1107=1109$이다.

[문항 3]

논제 1.

$f(x)$가 최고차항의 계수가 1인 삼차함수이고 $f(0)=1$이므로

$$ f(x)=x^3+px^2+qx+1 $$

이다. $f(x)$의 도함수를 $g(x)$라고 하면

$$ g(x)=f'(x)=3x^2+2px+q $$

이고, 도함수 $g(x)$가 $x=0$에서 극값을 가지므로 $g'(0)=2p=0$이다.

따라서 $f(x)=x^3+qx+1$이고 $f'(x)=3x^2+q$이다.

$f(x)$가 극값을 가지므로 $q<0$이고, $c=\dfrac{\sqrt{-q}}{\sqrt{3}}$라고 하면 $q=-3c^2$이므로 $f(x)=x^3-3c^2x+1$이다.

$f'(\pm c)=0$이고 $c>0$이므로

$x=-c$에서 극댓값 $f(-c)=2c^3+1>1$을 가지고,

$x=c$에서 극솟값 $f(c)=-2c^3+1<1$을 가진다. 그러므로 $2c^3+1=3$이고 $c=1$이다.

따라서

$$ f(x)=x^3-3x+1 $$

이다.

$f(x)$는 $x=-1$에서 극댓값 3, $x=1$에서 극솟값 -1을 가진다. 제시문 (ㄴ)의 a는 $f(x)$의 극솟값이고 b는 $f(x)$의 극댓값이므로 $a=-1$, $b=3$이다.

논제 2.

$-1 \le k \le 3$에 대하여 $f(t)=k$이고 $-1 \le t \le 1$인 t는 유일하게 존재하고

$$ \alpha \le t \le \beta,\ f(\alpha)=f(t)=f(\beta)=k,\ f(x)-k=(x-\alpha)(x-t)(x-\beta) $$

이다.

$$ f(x)-k=f(x)-f(t)=x^3-3x-(t^3-3t)=(x-t)(x^2+tx+t^2-3) $$

이므로 α, β는 방정식 $x^2+tx+t^2-3=0$의 두 근이다.

따라서 $(\beta-\alpha)^2=(\beta+\alpha)^2-4\alpha\beta=t^2-4(t^2-3)=-3t^2+12$이다.

$-1 \le t \le 1$**이므로** $M=2\sqrt{3}$**이고** $m=3$**이다.**

따라서 $\frac{M}{m}=\frac{2\sqrt{3}}{3}$**이다.**

8. 2022학년도 가톨릭대 수시 논술 (의예, 약학)

[문항 1]

논제. 제시문 (ㄷ)의 확률 p와 q의 값을 각각 구하고 그 근거를 논술하시오. (170점)

[문항 2]

논제. 제시문 (ㄷ)의 m의 값을 구하고 그 근거를 논술하시오. (170점)

[의예과 문항3]

논제. (180점) 제시문 (ㄱ), (ㄴ), (ㄷ)을 모두 만족시키는 순서쌍 $(k_1,\ k_2,\ k_3)$을 1개 구하고 그 근거를 논술하시오. (단, $0 < k_2 < 10 < k_3 < 50 < k_1 < 100$)(180점)

[의예과 문항 4, 약학과 문항 3]

논제. 제시문 (ㄷ)의 S의 값을 구하고 그 근거를 논술하시오. (180점)

[문항 1]

시합이 짝수번의 게임에서 끝날 경우와 홀수번의 경우에서 끝날 때로 나누어 생각한다.

(1) $2n$**번에 게임에서 수아가 승리할 경우는** (○는 수아 승리, ×는 은우 승리)

○×○×○⋯×○○(×○**가** $n-1$**번**)

이므로 그 확률은

$$\frac{3}{5}\left(\frac{2}{5}\times\frac{1}{3}\right)^{n-1}\frac{3}{5}=\frac{9}{25}\left(\frac{2}{15}\right)^{n-1},\quad (n \ge 1)$$

(2) $2n+1$**번에 게임에서 수아가 승리할 경우는**

×○×○⋯×○○(×○**가** n**번**)

이므로 그 확률은

$$\left(\frac{2}{5}\times\frac{1}{3}\right)^{n}\frac{3}{5}=\frac{3}{5}\left(\frac{2}{15}\right)^{n}\quad (n \ge 1)$$

따라서 구하는 확률 p**는**

$$p=\sum_{n=1}^{\infty}\frac{9}{25}\left(\frac{2}{15}\right)^{n-1}+\sum_{n=1}^{\infty}\frac{3}{5}\left(\frac{2}{15}\right)^{n}=\frac{9}{25}\frac{1}{1-\frac{2}{15}}+\frac{3}{5}\frac{\frac{2}{15}}{1-\frac{2}{15}}=\frac{33}{65}$$

또 2020**번의 게임에서 시합이 끝났을 때 수아가 승리할 확률은 위 (1)에서** $\frac{9}{25}\left(\frac{2}{15}\right)^{1009}$**이고, 은우가 승리할 경우는**

$$\times\bigcirc\times\bigcirc\cdots\times\bigcirc\times\times \ (\times\bigcirc\text{가 } 1009\text{번})$$

이므로 그 확률은

$$\left(\frac{2}{5}\times\frac{1}{3}\right)^{1009}\frac{2}{5}\,\frac{2}{3}=\frac{4}{15}\left(\frac{2}{15}\right)^{1009}$$

따라서 구하는 조건부확률 q**는**

$$q=\frac{\frac{9}{25}\left(\frac{2}{15}\right)^{1009}}{\frac{9}{25}\left(\frac{2}{15}\right)^{1009}+\frac{4}{15}\left(\frac{2}{15}\right)^{1009}}=\frac{27}{47}$$

이다.

[문항 2]

극한으로 정의된 함수 $f(x)$**는** $|x|<1,\ |x|>1,\ x=1$**에서 각각 다음과 같다.**

① $|x|<1$

$$f(x)=\lim_{n\to\infty}\frac{3x^{3n+2}+3x^{2n}+x+5}{x^{3n}+1}=x+5$$

② $|x|>1$

$$f(x)=\lim_{n\to\infty}\frac{3x^{3n+2}+3x^{2n}+x+5}{x^{3n}+1}=\lim_{n\to\infty}\frac{3x^2+\frac{3}{x^n}+\frac{1}{x^{3n-1}}+\frac{5}{x^{3n}}}{1+\frac{1}{x^{3n}}}=3x^2$$

③ $x=1$

$$f(1)=\lim_{n\to\infty}\frac{3(1)^{3n+1}+3(1)^{2n}+1+5}{(1)^{3n}+1}=6$$

한편, 양수 a**와 1보다 큰 실수** b**에 대하여 제시문 (ㄴ)을 만족하기 위해서는 곡선** $y=\sqrt{a(x+b)}+3$**과 곡선** $y=f(x)$**가 아래의 그림과 같이** $-1<x\le 1$**에서 접해야 한다.**

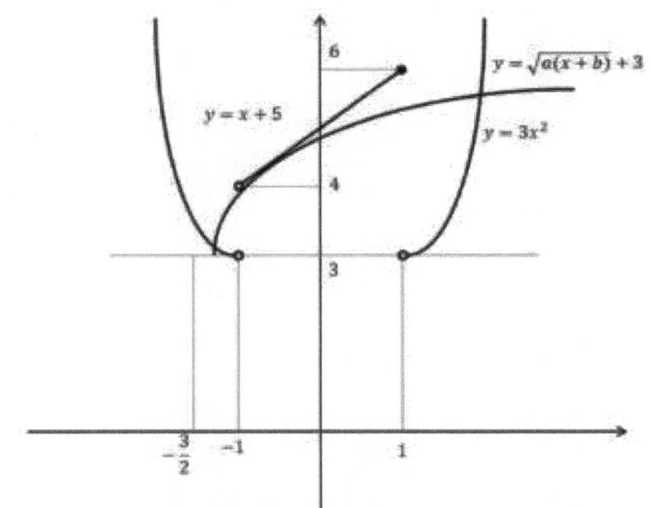

즉, 접점을 $(t,\ t+5)$라 하면 실수 t는 다음을 만족한다.

$$\frac{a}{2\sqrt{a(t+b)}}=1,\ t+5=\sqrt{a(t+b)}+3$$

이를 t에 관해서 풀면, $a=8-4b$임을 알고, $-1<t\le 1$와 $a>0,\ b>1$에 의해 제시문 (ㄴ)을 만족하는 $a,\ b$의 관계식은 다음과 같다.

$$a=8-4b\left(1<b<\frac{3}{2}\right)$$

제시문 (ㄷ)의 m값을 구하기 위해 $x=-1,\ 1$에서의 $y=\sqrt{2b(x+a)}+\frac{5}{2}$의 함숫값을 살펴보자. 앞서 구한 a와 b의 관계식 $a=8-4b\left(1<b<\frac{3}{2}\right)$을 이용하면 $x=-1,\ 1$에서의 $y=\sqrt{2b(x+a)}+\frac{5}{2}$의 함숫값인 $\sqrt{2b(-1+a)}+\frac{5}{2},\ \sqrt{2b(1+a)}+\frac{5}{2}$에 대해 다음의 부등식을 얻는다.

$$4<\frac{5}{2}+\sqrt{3}<\sqrt{2b(-1+a)}+\frac{5}{2}=\sqrt{2b(7-4b)}+\frac{5}{2}<\frac{5}{2}+\sqrt{6}<5$$
$$5<\frac{5}{2}+3<\sqrt{2b(1+a)}+\frac{5}{2}=\sqrt{2b(9-4b)}+\frac{5}{2}<\frac{5}{2}+\frac{9}{2\sqrt{2}}<6$$

함수 $y=\sqrt{2b(x+a)}+\frac{5}{2}$는 $x\ge -a$에서 연속이고 $2<a<4$이므로 위 두 부등식에 의해 $m=3$이다. (아래 그림 참고)

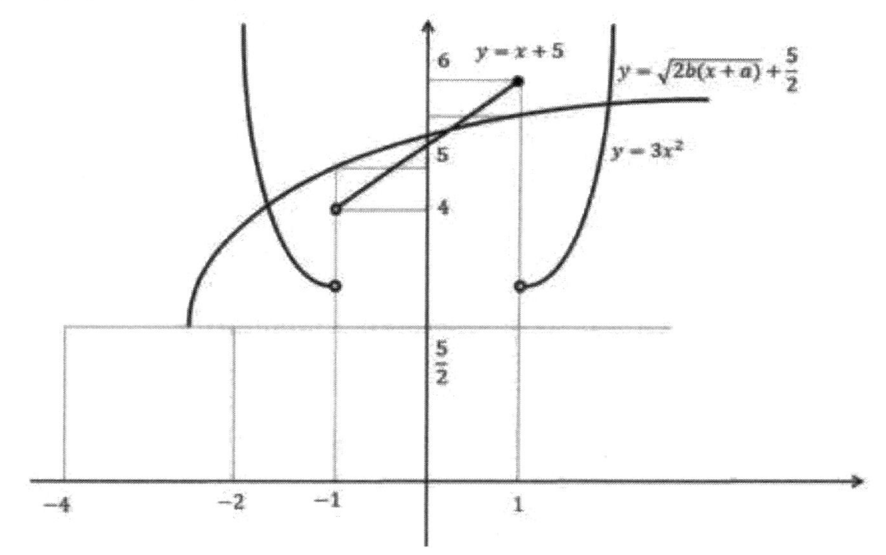

[의예과 문항3]

$2^n+61=(2^n-2)\left(1+\frac{A}{m_1}\right)\left(1+\frac{1}{2^n+k_1}\right)$**에서**

$$1+\frac{63}{2^n-2}=\left(1+\frac{A}{m_1}\right)\left(1+\frac{1}{2^n+k_1}\right)$$

양변에 2^n+k_1**을 곱하면**

$$\left(2^n+k_1\right)\left(1+\frac{63}{2^n-2}\right)=\left(1+\frac{A}{m_1}\right)\left(2^n+k_1+1\right)$$

$$(\text{좌변})=\frac{2^n+k_1}{2^n-2}\left(2^n+61\right)=\left(1+\frac{k_1+2}{2^n-2}\right)\left(2^n+61\right)$$

이 되고 $k_1=60$**이면** $\frac{A}{m_1}=\frac{31}{2^{n-1}-1}$**이 되어 우변과 같아지고 주어진 조건을 만족한다.**

또한,

$$1+\frac{A}{m_1}=1+\frac{31}{2^{n-1}-1}=\left(1+\frac{B}{m_2}\right)\left(1+\frac{1}{2^{n-1}-k_2}\right)$$

에서 양변에 $2^{n-1}-k_2$**를 곱하면**

$$\left(2^{n-1}-k_2\right)\left(1+\frac{31}{2^{n-1}-1}\right)=\left(1+\frac{B}{m_2}\right)\left(2^{n-1}-k_2+1\right)$$

이 되고 이 식을 전개하여 정리하면

$$\left(2^{n-1}-k_2\right)\frac{31}{2^{n-1}-1}=1+\frac{B\left(2^{n-1}-k_2+1\right)}{m_2}$$

이 된다. 따라서

$$\frac{B}{m_2}=\frac{1}{2^{n-1}-k_2+1}\left(\frac{31\left(2^{n-1}-k_2\right)}{2^{n-1}-1}-1\right)$$

를 만족하고,

$k_2=1$**이면** $\frac{B}{m_2}=\frac{30}{2^{n-1}}=\frac{15}{2^{n-2}}$**가 되어 주어진 조건을 만족한다.**

$$1+\frac{B}{m_2}=1+\frac{15}{2^{n-2}}=\left(1+\frac{C}{m_3}\right)\left(1+\frac{1}{2^{n-2}+k_3}\right)$$

에서 양변에 $2^{n-2}+k_3$**을 곱하면**

$$\left(2^{n-2}+k_3\right)\left(1+\frac{15}{2^{n-2}}\right)=\left(1+\frac{C}{m_3}\right)\left(2^{n-2}+k_3+1\right)$$

이 되고

$$(\text{좌변})=\frac{2^{n-2}+k_3}{2^{n-2}}\left(2^{n-2}+15\right)=\left(1+\frac{k_3}{2^{n-2}}\right)\left(2^{n-2}+15\right)$$

이므로 $k_3=14$**이면** $\frac{C}{m_3}=\frac{14}{2^{n-2}}=\frac{7}{2^{n-3}}$**이 되어 주어진 조건을 만족한다.**

따라서 $k_1=60,\ k_2=1,\ k_3=14$**이다.**

[의예과 문항 4, 약학과 문항 3]

치환적분법에 의해서 제시문 (ㄱ)의 함수 $f(x)$는 다음과 같다.

$$f(x)=2\int_0^x \tan\theta(\tan\theta)'d\theta+1=\left[\tan^2\theta\right]_0^x+1=\tan^2x+1=\frac{1}{\cos^2x}$$

따라서 제시문 (ㄴ)의 수열 $\{a_n\}$의 일반항은 다음과 같다.

$$a_n=\frac{1}{4^n\cos^2\left(\frac{\pi}{2^{n+2}}\right)}$$

사인함수의 덧셈정리에 의해서

$$\begin{aligned}\frac{1}{\sin^2\left(\frac{\pi}{2^2}\right)}&=\frac{1}{4\sin^2\left(\frac{\pi}{2^{1+2}}\right)\times\cos^2\left(\frac{\pi}{2^{1+2}}\right)}\\&=\frac{1}{4\sin^2\left(\frac{\pi}{2^{1+2}}\right)}+\frac{1}{4\cos^2\left(\frac{\pi}{2^{1+2}}\right)}=\frac{1}{4\sin^2\left(\frac{\pi}{2^{1+2}}\right)}+a_1\end{aligned}$$

$$\begin{aligned}\frac{1}{4\sin^2\left(\frac{\pi}{2^{1+2}}\right)}&=\frac{1}{4^2\sin^2\left(\frac{\pi}{2^{2+2}}\right)}+\frac{1}{4^2\cos^2\left(\frac{\pi}{2^{2+2}}\right)}\\&=\frac{1}{4^2\sin^2\left(\frac{\pi}{2^{2+2}}\right)}+a_2\end{aligned}$$

$$\vdots$$

$$\begin{aligned}\frac{1}{4^{n-2}\sin^2\left(\frac{\pi}{2^{n-2+2}}\right)}&=\frac{1}{4^{n-1}\sin^2\left(\frac{\pi}{2^{n-1+2}}\right)}+\frac{1}{4^{n-1}\cos^2\left(\frac{\pi}{2^{n-1+2}}\right)}\\&=\frac{1}{4^{n-1}\sin^2\left(\frac{\pi}{2^{n-1+2}}\right)}+a_{n-1}\end{aligned}$$

$$\begin{aligned}\frac{1}{4^{n-1}\sin^2\left(\frac{\pi}{2^{n-1+2}}\right)}&=\frac{1}{4^{n}\sin^2\left(\frac{\pi}{2^{n+2}}\right)}+\frac{1}{4^{n}\cos^2\left(\frac{\pi}{2^{n+2}}\right)}\\&=\frac{1}{4^{n}\sin^2\left(\frac{\pi}{2^{n+2}}\right)}+a_n\end{aligned}$$

모두 더하면

$$\sum_{k=1}^{n}a_k=\frac{1}{\sin^2\left(\frac{\pi}{2^2}\right)}-\frac{1}{4^n\sin^2\left(\frac{\pi}{2^{n+2}}\right)}$$

한편, $\lim_{x \to 0}\frac{\sin x}{x}=1$**이므로**

$$\lim_{n\to\infty}\frac{1}{4^n\sin^2\left(\frac{\pi}{2^{n+2}}\right)}=\frac{16}{\pi^2}\lim_{n\to\infty}\left(\frac{\frac{\pi}{2^{n+2}}}{\sin\left(\frac{\pi}{2^{n+2}}\right)}\right)^2=\frac{16}{\pi^2}$$

따라서 제시문 (ㄷ)의 S**값은 다음과 같다.**

$$S=\lim_{n\to\infty}\left(\sum_{k=1}^{n}a_k\right)=\frac{1}{\sin^2\left(\frac{\pi}{2^2}\right)}-\lim_{n\to\infty}\frac{1}{4^n\sin^2\left(\frac{\pi}{2^{n+2}}\right)}=2-\frac{16}{\pi^2}$$

9. 2022학년도 가톨릭대 모의 논술

[문항 1]

[논제 1] (15점) 제시문 (ㄱ)의 m의 값을 구하고 그 근거를 논술하시오.

[논제 2] (15점) 제시문 (ㄷ)의 p의 값을 구하고 그 근거를 논술하시오.

[문항 2]

[논제 1] (15점) 제시문 (ㄷ)의 다항함수 $f(x)$에 대하여 $f'(0)$의 값을 구하고 그 근거를 논술하시오

[논제 2] (15점) 제시문 (ㄹ)의 삼차함수 $g(x)$에 대하여 $g(1)$의 값을 구하고 그 근거를 논술하시오.

[문항 3]

[논제 1] (20점) 제시문 (ㄴ)의 명제 $p(n)$이 모든 자연수 n에 대하여 성립함을 수학적 귀납법으로 증명하시오.

[논제 2] (20점) 제시문 (ㄷ)의 집합 A를 구하고 그 과정을 논술하시오.

[문항 1]

[논제 1]

양수 a, b, c**에 대해** $y=c\sin(ax)+b$**와** $y=a\cos(bx)+c$**의 최댓값이 각각** 9, 8**이므로**

$$c+b=9$$
$$a+c=8$$

이다. 두 식을 연립하면 $b=a+1$**이고,**

$$\frac{2\pi}{a}+\frac{b}{2\pi}=\frac{2\pi}{a}+\frac{a+1}{2\pi}=\frac{2\pi}{a}+\frac{a}{2\pi}+\frac{1}{2\pi}$$

이다.

한편, $a>0$이므로 절대부등식에 의해

$$\frac{2\pi}{a}+\frac{b}{2\pi}=\frac{2\pi}{a}+\frac{a}{2\pi}+\frac{1}{2\pi}\geq 2\sqrt{\frac{2\pi}{a}\cdot\frac{a}{2\pi}}+\frac{1}{2\pi}=2+\frac{1}{2\pi}$$

이고, 등호가 성립할 조건은 $\frac{2\pi}{a}=\frac{a}{2\pi}$이다. 이를 만족하는 $a=2\pi$이고, 이 때의 $b=2\pi+1>0$, $c=8-a=8-2\pi>0$이므로 $m=2+\frac{1}{2\pi}$, $\alpha=2\pi$, $\beta=2\pi+1$이다.

[논제 2]

논제 1에 의해 $\alpha=2\pi$, $\beta=2\pi+1$이므로 $y=\tan(\alpha x-\beta)=\tan(2\pi x-2\pi-1)$의 점근선은 $x=\frac{1}{2}n+\frac{1}{4}+\frac{1}{2\pi}$($n$은 정수)이다.

한편, $n\geq 0$일 때 $\frac{1}{2}n+\frac{1}{4}+\frac{1}{2\pi}\geq\frac{1}{4}+\frac{1}{2\pi}>0$이고,

$n\leq -1$일 때

$\frac{1}{2}n+\frac{1}{4}+\frac{1}{2\pi}\leq -\frac{1}{4}+\frac{1}{2\pi}<0$이고, $\left|\frac{1}{4}+\frac{1}{2\pi}\right|>\left|-\frac{1}{4}+\frac{1}{2\pi}\right|$이므로

$p=-\frac{1}{4}+\frac{1}{2\pi}$이다.

[문항 2]

[논제 1]

극한값 $\lim_{x\to 0}\frac{f(|x|)-f(0)}{x}$이 존재하므로

제시문 (ㄱ)에 의해 좌극한 $\lim_{x\to 0-}\frac{f(|x|)-f(0)}{x}$과 우극한 $\lim_{x\to 0+}\frac{f(|x|)-f(0)}{x}$이 모두 존재하고, 같은 값을 가진다. 이 때 좌극한은

$$\lim_{x\to 0^-}\frac{f(|x|)-f(0)}{x}=\lim_{x\to 0^-}\frac{f(-x)-f(0)}{x}=-\lim_{x\to 0^-}\frac{f(-x)-f(0)}{-x}$$

이고

우극한은

$$\lim_{x\to 0+}\frac{f(|x|)-f(0)}{x}=\lim_{x\to 0+}\frac{f(x)-f(0)}{x}$$

이다.

그런데 $f(x)$가 다항함수이므로 극한값 $\lim_{x\to 0}\frac{f(x)-f(0)}{x}$가 존재하고

$$f'(0)=\lim_{x\to 0}\frac{f(x)-f(0)}{x}$$

이다.

따라서 좌극한은

$$\lim_{x\to 0-}\frac{f(|x|)-f(0)}{x}=\lim_{x\to 0-}\frac{f(-x)-f(0)}{x}=-\lim_{x\to 0-}\frac{f(-x)-f(0)}{-x}=-f'(0)$$

이고, 우극한은

$$\lim_{x\to 0+}\frac{f(|x|)-f(0)}{x}=\lim_{x\to 0++}\frac{f(x)-f(0)}{x}=f'(0)$$

이다. 그러므로 $-f'(0)=f'(0)$이다. 즉, $f'(0)=0$이다.

[논제 2]

함수 $y=g(|x|)$가 $x=0$에서 미분가능하므로 극한값 $\lim_{x\to 0}\frac{g(|x|)-g(0)}{x}$가 존재한다. 따라서, 논제 1에 의해 $g'(0)=0$이다.

그런데, $g(x)$는 최고차항의 계수가 1인 삼차함수이므로 $g'(x)=3x^2+ax$이다. 즉, $g(x)=x^3+\frac{a}{2}x^2+g(0)$이다.

함수 $y=g(|x|)$가 $x=3$에서 극솟값을 가지고 $x>0$일 때 $g(|x|)=g(x)$이므로 함수 $y=g(x)$도 $x=3$에서 극솟값을 가진다. 따라서 $g'(3)=0$이고 $g(3)=6$이다. $g'(3)=0$이므로 $a=-9$이다.

따라서 $g(x)=x^3-\frac{9}{2}x^2+g(0)$이고, $g(3)=27\left(1-\frac{3}{2}\right)+g(0)=-\frac{27}{2}+g(0)=6$이므로 $g(0)=\frac{39}{2}$이다.

따라서 $g(1)=1-\frac{9}{2}+\frac{39}{2}=16$이다.

[문항 3]

[논제 1]

(ⅰ) $n=1$일때,

$$\int_0^1 x^m(1-x)dx=\int_0^1 x^m dx-\int_0^1 x^{m+1}dx$$
$$=\frac{1}{m+1}-\frac{1}{m+2}=\frac{1}{(m+1)(m+2)}=\frac{m!1!}{(m+2)!}$$

이므로 $p(n)$은 성립한다.

(ⅱ) $n=k$일 때 $p(n)$이 성립한다고 가정하면

$$\int_0^1 x^m(1-x)^{k+1}dx = \int_0^1 x^m(1-x)^k(1-x)dx$$

$$= \int_0^1 x^m(1-x)^k dx - \int_0^1 x^{m+1}(1-x)^k dx$$

$$= \frac{m!k!}{(m+k+1)!} - \frac{(m+1)!k!}{(m+k+2)!}$$

$$= \frac{m!k!}{(m+k+2)!}(m+k+2-m-1) = \frac{m!(k+1)!}{(m+k+2)!}$$

이므로 $n=k+1$일 때도 성립한다. 따라서, 모든 자연수 n에 대하여 $p(n)$은 성립한다.

[논제 2]

제시문 (ㄴ)의 적분식을 이용하여 제시문 (ㄷ)의 적분을 계산하면,

$$\int_0^1 x^n(1-x)^n\left(1+2\sqrt{3}cx+\frac{27}{10}c^2x^2\right)dx$$

$$= \int_0^1 x^n(1-x)^n dx + 2\sqrt{3}c\int_0^1 x^{n+1}(1-x)^n dx + \frac{27}{10}c^2\int_0^1 x^{n+2}(1-x)^n dx$$

$$= \frac{n!n!}{(2n+1)!} + 2\sqrt{3}\frac{(n+1)!n!}{(2n+2)!}c + \frac{27}{10}\frac{(n+2)!n!}{(2n+3)!}c^2$$

$$= \frac{n!n!}{(2n+1)!(2n+3)}\left(2n+3+(2n+3)\sqrt{3}c+\frac{27}{20}(n+2)c^2\right)$$

을 얻는다.

따라서 제시문 (ㄷ)의 부등식은 위 괄호안의 c에 대한 이차식이 양수이어야 한다는 것과 동치이다. c^2항의 계수가 양수이므로, 판별식이 음수가 되어야 한다. 판별식은

$$3(2n+3)^2 - \frac{27}{5}(2n+3)(n+2)$$

$$= \frac{2n+3}{5}(15(2n+3)-27(n+2)) = \frac{2n+3}{5}(3n-9)$$

이므로, $n<3$이 되어야 조건을 만족시킨다.

따라서 제시문 (ㄷ)의 집합 A는 $\{1,\ 2\}$이다.

10. 2021학년도 가톨릭대 수시 논술 (자연, 공학, 간호)

[문항 1]

논제 1. (10점) 제시문 (ㄱ)의 a, b, c의 값을 구하고 그 근거를 논술하시오.

논제 2. (20점) 제시문 (ㄷ)의 S의 값을 구하고 그 근거를 논술하시오.

[문항 2]

논제 1. (15점) 제시문 (ㄱ)의 함수 $f(x)$를 구하고 그 근거를 논술하시오.

논제 2. (15점) 제시문 (ㄴ)의 M과 m의 값을 구하고 그 근거를 논술하시오.

[문항 3] (자연·공학계열, 간호학과)

논제 1. (20점) 제시문 (ㄴ)의 명제 p의 참, 거짓을 판별하고 그 근거를 논술하시오.

논제 2. (20점) 제시문 (ㄷ)의 집합 A를 구하고 그 근거를 논술하시오.

[문항 3] (생활과학부, 미디어기술콘텐츠학과)

논제 1. (20점) 제시문 (ㄱ)의 a, b, c의 값을 구하고 그 근거를 논술하시오.

논제 2. (20점) 제시문 (ㄴ)의 k의 값을 구하고 그 근거를 논술하시오.

[문항 1]

논제 1.

방정식 $y=ax^2+bx+2$**가 나타내는 도형을 원점에 대하여 대칭이동한 도형의 방정식은**

$$-y=a(-x)^2+b(-x)+2,\ \text{즉}\ y=-ax^2+bx-2$$

이다. 이 방정식이 나타내는 도형을 x**축의 방향으로 1만큼,** y**축의 방향으로** -6**만큼 평행이동한 도형의 방정식은**

$$y=-a(x-1)^2+b(x-1)-2-6=-ax^2+(b+2a)x-a-b-8$$

이고, 방정식 $y=-x^2+4x+c$**와 같으므로** $a=1$, $b=2$, $c=-11$**이다.**

논제 2.

$f(x)=x^2+2x+2$**라고 하면** $f'(x)=2x+2$

곡선 $y=x^2+2x+2$**위의 점** $(t,\ f(t))$**에서 접선의 방정식은**

$$y=2(t+1)(x-t)+t^2+2t+2=2(t+1)x+2-t^2$$

또한 이 직선이 곡선 $y=-x^2+4x-11$**에 접하면, 방정식**

$$2(t+1)x+2-t^2=-x^2+4x-11$$

즉

$$x^2-2(t-1)x-t^2+13=0$$

은 중근을 가지고,

$\frac{D}{4}=(t-1)^2-t^2-13=0$, **즉** $2t^2-2t-12=0$**이다.**

$(t-3)(t+2)=0$**에서** $t=-2$ **또는** $t=3$**이므로**

l_1**의 방정식은** $y=-2x-2$, l_2**의 방정식은** $y=8x-7$**이다.**

l_1과 l_2의 교점의 x좌표가 $\frac{1}{2}$이므로

$$S=\int_{-2}^{\frac{1}{2}}(x^2+2x+2-(-2x-2))dx+\int_{\frac{1}{2}}^{3}(x^2+2x+2-(8x-7))dx$$

$$=\int_{-2}^{\frac{1}{2}}(x^2+4x+4)dx+\int_{\frac{1}{2}}^{3}(x^2-6x+9)dx$$

$$=\left[\frac{x^3}{3}+2x^2+4x\right]_{-2}^{\frac{1}{2}}+\left[\frac{x^3}{3}-3x^2+9x\right]_{\frac{1}{2}}^{3}=\frac{125}{12}$$

[문항 2]

논제 1.

$z=\alpha+\beta i$(α, β**는 실수**)**라 하자.** $2z+9$, $-z-\frac{3}{4}i$**가 방정식** $f(x)=0$**의 서로 다른 두 허근이므로 다음을 만족한다.**

$$\overline{2z+9}=2\alpha+9-2\beta i=-\alpha-\left(\beta+\frac{3}{4}\right)i=-z-\frac{3}{4}i$$

따라서, $\alpha=-3$, $\beta=\frac{3}{4}$**이고, 방정식** $f(x)=0$**의 두 허근은** $3+\frac{3}{2}i$, $3-\frac{3}{2}i$**이다. 방정식** $f(x)=0$**의 실근을** a**라고 하면 함수** $f(x)$**는 다음과 같이 나타낼 수 있다.**

$$f(x)=b(x-a)\left(x^2-6x+\frac{45}{4}\right) \quad \text{(단, } b\neq 0)$$

제시문 (ㄱ)의 조건 (1)로 부터

$$f\left(\frac{1}{2}\right)=\frac{17}{2}b\left(\frac{1}{2}-a\right)=\frac{17}{4}\text{이므로 } b=\frac{1}{1-2a}$$

이것과 제시문 (ㄱ)의 조건 (2)로 부터

$$f''(a)=2b(2a-6)=-12\text{이므로 } a-3=-3(1-2a)$$

따라서 $a=0$, $b=1$**이고, 제시문 (ㄱ)의 함수** $f(x)$**는 다음과 같다.**

$$f(x)=x\left(x^2-6x+\frac{45}{4}\right)=x^3-6x^2+\frac{45}{4}x$$

논제 2. $f(x)=x^3-6x^2+\frac{45}{4}x$**이면** $f'(x)=3x^2-12x+\frac{45}{4}=3\left(x-\frac{3}{2}\right)\left(x-\frac{5}{2}\right)$

이 때, $f'(x)=0$**을 만족시키는** x**의 값은** $x=\frac{3}{2}$**또는** $x=\frac{5}{2}$**이다.**

닫힌구간 $[1,\ 2]$**에서 함수** $f(x)$**의 증가와 감소를 표로 나타내면 다음과 같다.**

x	1	$\cdots$	$\frac{3}{2}$	$\cdots$	2
$f'(x)$		+	0	−	
$f(x)$	$\frac{25}{4}$	↗	$\frac{27}{4}$	↘	$\frac{26}{4}$

따라서 $1 \le x \le 2$**일 때, 함수** $f(x)$**는 다음의 범위를 갖는다.**

$$\frac{25}{4} \le f(x) \le \frac{27}{4}$$

함수 $h(t)=t+\frac{36}{t}$**라고 하면,** $g(x)=h(f(x))$**이다. 따라서, 제시문 (ㄴ)의 최댓값** M**은 닫힌구간** $\left[\frac{25}{4}, \frac{27}{4}\right]$**에서 함수** $h(t)$**의 최댓값과 같고 최솟값** m**은 닫힌구간** $\left[\frac{25}{4}, \frac{27}{4}\right]$**에서 함수** $h(t)$**의 최솟값과 같다.**

$\frac{25}{4} \le t \le \frac{27}{4}$**일 때,** $h'(t)=1-\frac{36}{t^2}>0$**이므로 함수** $h(t)$**는 닫힌구간** $\left[\frac{25}{4}, \frac{27}{4}\right]$**에서 증가한다. 따라서 함수** $g(x)$**의 최댓값** M**과 최솟값** m**은 다음과 같다.**

$$M=h\left(\frac{27}{4}\right)=\frac{27}{4}+\frac{16}{3}=\frac{145}{12}, \quad m=h\left(\frac{25}{4}\right)=\frac{25}{4}+\frac{144}{25}=\frac{1201}{100}$$

[문항 3] (자연·공학계열, 간호학과)

논제 1.

a_k**와** a_{k+2}**가 모두 홀수라고 하자.**

a_n**이 홀수이고** a_{n+1}**이 짝수이면** a_n+a_{n+1}**이 홀수이므로** $a_{n+2}=3(a_n+a_{n+1})+1$**은 짝수이다. 그런데** a_k**와** a_{k+2}**가 모두 홀수이므로** a_{k+1}**은 홀수이다.**

또한, a_n**이 짝수이고** a_{n+1}**이 홀수이면** a_n+a_{n+1}**이 홀수이므로** $a_{n+2}=3(a_n+a_{n+1})+1$**은 짝수이다. 그런데** a_k**와** a_{k+1}**이 모두 홀수이므로** $k-1$**이 자연수일 때** a_{k-1}**도 홀수이다. 그러면** $k-2$**가 자연수일 때** a_{k-1}**과** a_k**가 모두 홀수이므로** a_{k-2}**도 홀수이다. 이와 같이 계속하면** a_{k-3}, $\cdots$, a_1**이 모두 홀수임을 얻는다.**

따라서 $n \le k+2$**인 모든 자연수** n**에 대하여** a_n**은 홀수이다.**

그러므로 명제 p**는 참이다.**

논제 2.

a_5**가 홀수인 경우와 짝수인 경우로 나누어 생각하자.**

i) a_5**가 홀수인 경우:**

명제 p**가 참이고** $a_3=19$**이므로 명제** p**에 의해** a_1, a_2, $\cdots$, a_5**는 모두 홀수이다. 따라서** $(a_4+a_5)/2=a_6=22$**이고** $a_5=(a_3+a_4)/2=(19+a_4)/2$**이다.**

그러므로 $a_4+a_5=44$**이고** $2a_5=19+a_4$**이다. 따라서** $a_5=21$**이고** $a_4=23$**이다.**

그런데 $a_2+a_3=2a_4$**이므로** $a_2=2a_4-a_3=46-19=27$**이고,**

$a_1+a_2=2a_3$**이므로** $a_1=2a_3-a_2=38-27=11$**이다.**

따라서 수열 11, 27, 19, 23, 21, 22, $\cdots$**이 주어진 조건을 만족하고** $a_1=11$**이다.**

ii) a_5**가 짝수인 경우:**

이 경우 a_4**가 홀수인 경우와 짝수인 경우로 나누어 살펴보자.**

1) a_4**가 홀수인 경우:**

$a_5=(a_3+a_4)/2$**이고** $a_6=3(a_4+a_5)+1$**이 성립한다.**

따라서 $2a_5=19+a_4$, $a_4+a_5=7$**이다. 그러므로** $3a_5=26$**이다.**

이를 만족하는 양의 정수 a_5**는 없으므로 주어진 조건을 만족하는 양의 정수** a_1**은 없다.**

2) a_4**가 짝수인 경우:**

$a_5=3(a_3+a_4)+1$**이고** $a_6=(a_4+a_5)/2$**을 만족한다.**

따라서 $a_5=3a_4+58$, $a_4+a_5=44$**이다. 그러므로** $4a_4+14=0$**이다.**

이를 만족하는 양의 정수 a_4**는 없으므로 주어진 조건을 만족하는 양의 정수** a_1**은 없다.**

따라서 $A=\{11\}$**이다.**

[문항 3] (생활과학부, 미디어기술콘텐츠학과)

논제 1.

방정식 $y=x^3+ax^2+bx+c$**이 나타내는 도형을 원점에 대하여 대칭이동한 도형의 방정식은**

$$y=x^3-ax^2+bx-c$$

이다. 따라서 $a=0$**이고** $c=0$**이다.**

삼차함수 $f(x)=x^3+bx$**의 도함수** $f'(x)=3x^2+b$.

$b\geq 0$**이면 삼차함수** $f(x)$**의 극대, 극소가 존재하지 않으므로** $b<0$**이다.**

$f'(x)=0$**을 만족시키는** x**의 값은** $x=\frac{\sqrt{-3b}}{3}$ **또는** $x=-\frac{\sqrt{-3b}}{3}$**이고 함수** $f(x)$**의 증가와 감소를 표로 나타내면 다음과 같다.**

x	$\cdots$	$-\frac{\sqrt{-3b}}{3}$	$\cdots$	$\frac{\sqrt{-3b}}{3}$	$\cdots$
$f'(x)$	+	0	−	0	+
$f(x)$	↗	극댓값	↘	극솟값	↗

제시문 (ㄱ)의 조건 (2)로부터 다음을 얻을 수 있다.

$$f\left(-\frac{\sqrt{-3b}}{3}\right)-f\left(\frac{\sqrt{-3b}}{3}\right)=-\frac{4b\sqrt{-3b}}{9}=4$$

따라서 $b=-3$**이다. 제시문 (ㄱ)의** a, b, c**는 다음과 같다.**

$$a=0,\ b=-3,\ c=0$$

논제 2.

$kxf(x)(-\sqrt{2}\le x\le\sqrt{2})$**이 확률밀도함수이므로 구간** $[-\sqrt{2},\ \sqrt{2}]$**에서** $kxf(x)\ge 0$**이고**

$$\int_{-\sqrt{2}}^{\sqrt{2}}kxf(x)dx=1$$

이어야 한다. $-\sqrt{2}\le x\le\sqrt{2}$**인** x**에 대하여** $xf(x)=x^2(x^2-3)\le 0$**이므로** $k\le 0$**이다. 또한**

$\int_{-\sqrt{2}}^{\sqrt{2}}k(x^4-3x^2)dx=k\left(\frac{8}{5}\sqrt{2}-4\sqrt{2}\right)=1$**이므로**

$$k=-\frac{5}{24}\sqrt{2}$$

11. 2021학년도 가톨릭대 수시 논술 (의예, 약학)

[문항 1]

논제. (170점) 제시문 (ㄴ)의 p와 q의 값을 각각 구하고 그 근거를 논술하시오

[문항 2] 출제 오류 : 전원 만점처리

[의예과 문항3]

논제. (180점) 제시문 (ㄷ)의 합 L를 구하고 그 근거를 논술하시오.

[의예과 문항 4, 약학과 문항 3]

논제. (180점) 제시문 (ㄱ)의 명제 p가 참이 되도록 하는 n의 값이 있는지 판별하고, 있는 경우 n의 값을 구하시오. 또한 제시문 (ㄴ)의 m의 값을 구하시오. 이 모든 과정의 근거를 논술하시오.

[문항 1]

주사위 3**개를 던져 가장 큰 수와 가장 작은 수가 각각** 3**과** 1**로 차이가** 2**인 경우는** (1, 1, 3), (1, 2, 3), (1, 3, 3)**이고 경우의 수는** $3+6+3=12$**이다. 또,** 4**와** 2, 5**와** 3, 6**과** 4**로 차이가 나는 경우의 수도 각각** 12**이므로 차이가** 2**인 경우의 수는** $12\times4=48$**이다.**

같은 방법으로 5**와** 1**로 차이가** 4**인 경우는** (1,1,5), (1,2,5), (1,3,5), (1,4,5), (1,5,5)**이고 경우의 수는** $3+6+6+6+3=24$**이고** 6**과** 2**로 차이가** 4**인 경우의 수도** 24**이므로 차**

이가 4인 경우의 수는 48이다.

즉, 주사위 3개를 던져 상자 A가 선택될 확률은

$$\frac{48+48}{6^3}=\frac{4}{9}$$

이다.

따라서 구하는 첫 번째 시행에서 검은 공이 나올 확률은

$$p=\frac{4}{9}\times\frac{1}{5}+\frac{5}{9}\times\frac{3}{5}=\frac{19}{45}$$

이다.

첫 번째 시행에서 흰 공이 나오고 두 번째 시행에서 검은 공이 나오는 경우는 다음 표의 4가지이고 각각 확률은 표와 같다.

첫 번째 흰 공 상자	두 번째 검은 공 상자	확률
상자 A	상자 A	$\frac{4}{9}\times\frac{4}{5}\times\frac{4}{9}\times\frac{1}{4}$
상자 A	상자 B	$\frac{4}{9}\times\frac{4}{5}\times\frac{5}{9}\times\frac{3}{5}$
상자 B	상자 A	$\frac{5}{9}\times\frac{2}{5}\times\frac{4}{9}\times\frac{1}{5}$
상자 B	상자 B	$\frac{5}{9}\times\frac{2}{5}\times\frac{5}{9}\times\frac{3}{4}$

그러므로 첫 번째 시행에서 흰 공이 나오고 두 번째 시행에서 검은 공이 나올 확률은

$$\frac{4}{9}\times\frac{4}{5}\times\frac{4}{9}\times\frac{1}{4}+\frac{4}{9}\times\frac{4}{5}\times\frac{5}{9}\times\frac{3}{5}+\frac{5}{9}\times\frac{2}{5}\times\frac{4}{9}\times\frac{1}{5}+\frac{5}{9}\times\frac{2}{5}\times\frac{5}{9}\times\frac{3}{4}$$
$$=\frac{73}{3\times5\times9\times2}$$

따라서 구하는 조건부확률 q는

$$q=\frac{\frac{73}{3\times5\times9\times2}}{\frac{26}{45}}=\frac{73}{156}$$

이다.

[문항 2] 출제 오류 : 전원 만점처리

[의예과 문항3]

동아리에서 학생 3명을 선택하는 경우의 수는 ${}_k\mathrm{C}_3=\frac{k(k-1)(k-2)}{3!}$, 이웃하는 두 학생 A, B를 한 사 람으로 생각하여 4명이 원탁에 앉는 경우의 수는 $(4-1)!=3!$, 이웃하는 두 학생 A, B가 자리를 서로 바꾸는 경우의 수는 2이다. 따라서 제시문 (ㄴ)의 a_k는 다

음과 같다.

$$a_k = \frac{k(k-1)(k-2)}{3!} \times 3! \times 2 = 2k(k-1)(k-2)$$

제시문 (ㄷ)의 L을 구하기 위해

$$b_k - \frac{a_k}{p} = c_k \ (k=3,\ 4,\ \cdots,\ p-1)$$

라고 하자. 그러면 $0 \le c_k < 1$이다.

한편, $2 \le l \le p-1$인 자연수 l에 대하여 $l < p$이므로 $3 \le k \le p-1$인 자연수 k에 대하여 a_k는 3보다 큰 소수 p를 약수로 갖지 않는다. 만약 $3 \le k \le p-1$인 자연수 k에 대하여 $\frac{a_k}{p}$이 자연수 q이라면 $a_k = qp$가 되어 자연수를 소인수분해한 결과는 곱하는 순서를 생각하지 않으면 오직 한 가지뿐이라는 것에 모순이다. 따라서 $\frac{a_k}{p}$는 자연수가 아니다. 즉, $3 \le k \le p-1$인 자연수 k에 대하여

$$0 < c_k < 1 \text{이고 } 0 < c_k + c_{p+2-k} < 2$$

한편, $3 \le k \le p-1$인 자연수 k에 대하여

$$\begin{aligned} c_k + c_{p+2-k} &= b_k + b_{p+2-k} - \left(\frac{a_k}{p} + \frac{a_{p+2-k}}{p}\right) \\ &= b_k + b_{p+2-k} - 2(p^2 - 3(k-1)p + 3k^2 - 6k + 2). \end{aligned}$$

이고 이 값이 정수이므로

$$c_k + c_{p+2-k} = 1 \ (k=3,\ 4,\ \cdots,\ p-1)$$

따라서

$$\sum_{k=3}^{p-1} c_k = \sum_{k=3}^{p-1} c_{p+2-k} = \frac{p-3}{2}$$

그러므로 제시문 (ㄷ)의 L은 다음과 같다.

$$\begin{aligned} L = \sum_{k=3}^{p-1} b_k &= \sum_{k=3}^{p-1} \frac{a_k}{p} + \sum_{k=3}^{p-1} c_k = \frac{2}{p}\sum_{k=3}^{p-1} k(k-1)(k-2) + \frac{p-3}{2} \\ &= \frac{2}{p}\sum_{k=1}^{p-2}(k^3 - k) + \frac{p-3}{2} = \frac{(p-1)(p-2)(p-3)}{2} + \frac{p-3}{2} \\ &= \frac{(p-3)(p^2-3p+3)}{2} \end{aligned}$$

[의예과 문항 4, 약학과 문항 3]

삼차함수 $f(x)$가 $x=\alpha$에서 극댓값을 가지고 $x=\beta$에서 극솟값 0을 가진다고 하고 $f(x)$의 최고차항의 계수 k가 양수라고 하자.

$f(x)$가 $x=\alpha$에서 극댓값을 가지고 $x=\beta$에서 극솟값 0을 가지므로
$f'(x)=3k(x-\alpha)(x-\beta)$이고 $f(\beta)=0$, $\alpha<\beta$이다.
따라서

$$f(x)=\int_{\beta}^{x} f'(t)dt+f(\beta)=k(x-\beta)^3+\frac{3(\beta-\alpha)k}{2}(x-\beta)^2=k\left(x-\frac{3\alpha-\beta}{2}\right)(x-\beta)^2$$

이다.
$\alpha\le t\le\beta$인 실수 t에 대하여 x에 관한 방정식 $f(x)=f(t)$의 실근 중 가장 작은 근 x를 $g(t)$라고 하고 $h(t)=t-f(t)-g(t)$라고 하자.
$\alpha<t<\beta$인 t에 대해서 $f(t)>0$이므로 $t-f(t)<t$이고
방정식 $f(x)=f(t)$의 실근 x중 t보다 작은 근은 $g(t)$가 유일하므로
$\alpha<t<\beta$일 때 $f(t-f(t))=f(t)$일 필요충분조건은 $t-f(t)=g(t)$, 즉, $h(t)=0$인 것이다. 따라서 열린 구간 $(\alpha,\ \beta)$에서 방정식 $f(x-f(x))=f(x)$의 실근의 개수는 열린구간 $(\alpha,\ \beta)$에서 방정식 $h(x)=0$의 실 근의 개수와 같다.

$$f(x)=k\left(x^3-\frac{3}{2}(\alpha+\beta)x^2+3\alpha\beta x-\frac{1}{2}\beta^2(3\alpha-\beta)\right)$$

이고

$$f(x)-f(t)=k(x-t)\left(x^2+\frac{1}{2}(2t-3\alpha-3\beta)x+3\alpha\beta+t^2-\frac{3}{2}(\alpha+\beta)t\right)$$

이므로 $g(t)$는 이차방정식

$$x^2+\frac{1}{2}(2t-3\alpha-3\beta)x+3\alpha\beta+t^2-\frac{3}{2}(\alpha+\beta)t=0$$

의 두 근 중 더 작은 근이다. 그러므로 근의 공식에 의해

$$g(t)=(3(\alpha+\beta)-2t-\sqrt{3(3\beta-\alpha-2t)(\beta-3\alpha+2t)})/4$$

이고, $\alpha\le t\le\beta$에서 $g(t)$는 연속이다. 따라서 $h(t)=t-g(t)-f(t)$도 구간 $[\alpha,\ \beta]$에서 연속이다.
$h(\alpha)=\alpha-\alpha-f(\alpha)<0$이고

$$h(\beta)=\beta-g(\beta)-f(\beta)=\beta-g(\beta)=\frac{3}{2}(\beta-\alpha)>0$$

이므로 사잇값 정리에 의해 열린구간 $(\alpha,\ \beta)$에서 $h(t)=0$인 실수 t가 적어도 하나 존재한다.
$\alpha\le t_1<t_2\le\beta$에 대해서 $g(t_1)\le\alpha$, $g(t_2)\le\alpha$이고, 닫힌구간 $[\alpha,\ \beta]$에서 $f(x)$는 감소하므로 $f(g(t_1))=f(t_1)>f(t_2)=f(g(t_1))$이고 구간 $(-\infty,\ \alpha]$에서 $f(x)$는 증가하므로 $g(t_1)>g(t_2)$이다. 즉, 닫힌구간 $[\alpha,\ \beta]$에서 $g(t)$는 감소한다.
닫힌구간 $[\alpha,\ \beta]$에서 $f(t)$, $g(t)$는 감소하므로 $h(t)=t-g(t)-f(t)$는 증가하는 연속함수이다. 따라서 열린구간 $(\alpha,\ \beta)$에서 $h(t)=0$인 실수 t의 개수는 1이다.
따라서 $n=1$일 때 명제 p가 참이다.
즉, 명제 p가 참이 되도록 하는 n의 값은 있으며, 그 값은 1이다.

제시문 (ㄴ)의 함수를 $f(x)$라고 하면 위의 논의로부터 $f(x)=k\left(x-\frac{3\alpha-\beta}{2}\right)(x-\beta)^2$이다.

따라서 극댓값을 $M=f(\alpha)$라고 하면 $f(x)-M=k(x-\alpha)^2\left(x-\frac{3\beta-\alpha}{2}\right)$이다. $\gamma=\frac{3\beta-\alpha}{2}$라고 하자.

방정식

$$f(x-f(x))=f(x)\cdots\cdots\cdots\cdots(*)$$

의 근 x를 다음의 경우로 나누어 생각하자.

i) $x-f(x)=x$인 경우 : $f(x)=0$을 만족하는 x는 $x=\frac{3\alpha-\beta}{2}$ 또는 $x=\beta$이고 이 경우는 위 방정식 (*)의 근이 된다.

ii) $x-f(x)\neq x$인 경우 : $x-f(x)\neq x$이고 $f(x-f(x))=f(x)$라고 하자. $f(x)\neq 0$이고 서로 다른 $x-f(x)$와 x에서의 f의 함숫값이 같으므로 $0<f(x)\leq M$이다. 따라서 $x-f(x)<x$이고 $f(x-f(x))=f(x)$이므로 $\alpha<x\leq\gamma$이다. (단, $x\neq\beta$)

방정식 (*)의 i)에서의 두 근이 $\frac{3\alpha-\beta}{2}$, β이고 $\frac{3\alpha-\beta}{2}<\alpha<\beta$이므로 방정식 (*)의 근 중 가장 작은 값은 $\frac{3\alpha-\beta}{2}$이고 나머지 근은 모두 α보다 크다. 즉, $a=\frac{3\alpha-\beta}{2}$이고 $\alpha<b$이다.

위의 논의로부터 방정식 (*)는 열린구간 $(\alpha,\ \beta)$에서 유일한 근을 가지므로 b가 열린구간 $(\alpha,\ \beta)$에서의 방정식 (*)의 유일한 근임을 알 수 있다. 즉, $b<\beta$이다.

그런데 $x=\beta$도 방정식 $f(x-f(x))=f(x)$의 근이고 $b<\beta$이므로 $c=\beta$이다.

따라서 $b<\beta=c<d$이고 $f(d)=f(b)>0$임을 알 수 있다.

$$f(b-f(b))=f(b)=f(d)=f(d-f(d))$$

이고 $b-f(b)<b<d$이므로 $b-f(b)$, b, $d-f(d)$, d는 모두 방정식 $f(x)=f(b)$의 근이고, $b-f(b)$, b, d는 서로 다르다.

그런데 $b-f(b)<d-f(d)<f(d)$이므로 $d-f(d)=b$이다.

그러므로 $d-b=f(d)=f(b)$이다.

$d-b=q>0$라고 하면 $q=f(d)=f(b)$이고 방정식 $f(x)=f(b)$의 서로 다른 세 실근은 $b-q$, b, $b+q$이다.

따라서

$$f(x)=k(x-b+q)(x-b)(x-b-q)+f(b)=k\left((x-b)^3-q^2(x-b)\right)+q$$

이다.

$$f'(x)=k\left(3(x-b)^2-q^2\right)=3k\left(x-b-\frac{q}{\sqrt{3}}\right)\left(x-b+\frac{q}{\sqrt{3}}\right)$$

이므로

$b+\frac{q}{\sqrt{3}}=\beta=c$, $b-\frac{q}{\sqrt{3}}=\alpha$**이고** $a=\frac{3\alpha-\beta}{2}=b-\frac{2}{\sqrt{3}}q$**이다.**

$0=f(\beta)=f\left(b+\frac{q}{\sqrt{3}}\right)=-\frac{2}{3\sqrt{3}}kq^3+q$**이므로** $k=\frac{3\sqrt{3}}{2q^2}$ **이다.**

$$f(2b-c)=f\left(b-\frac{q}{\sqrt{3}}\right)=\frac{3\sqrt{3}}{2q^2}\left(\frac{2}{3\sqrt{3}}q^3\right)+q=2q$$

이므로

$$m=k(b-a)f(2b-c)=\frac{3\sqrt{3}}{2q^2}\times\frac{2q}{\sqrt{3}}\times 2q=6$$

이다.

12. 2021학년도 가톨릭대 모의 논술

[문항 1]

논제 1. **(**20**점) 제시문 (ㄹ)의 조건을 만족하는 삼각형** ABC**는 어떤 삼각형인지 논술하시오.**

논제 2. **(**10**점) 제시문 (ㄷ)의** M**의 값을 구하고 그 근거를 논술하시오.**

[문항 2]

논제 1. **(**15**점) 제시문 (ㄷ)의 확률변수** X**의 확률분포를 표로 나타내고 그 근거를 논술하시오.**

논제 2. **(**15**점) 제시문 (ㄷ)의 시행에서** 2**가 적힌 붉은 공을 꺼낼 확률을 구하고 그 근거를 논술하시오.**

[문항 3]

논제 1. **(**20**점) 제시문 (ㄱ), (ㄴ)을 이용하여 제시문 (ㄷ)의 명제** A**의 참, 거짓을 판별하고 그 근거를 논술하시오.**

논제 2. **(**20**점) 제시문 (ㄹ)의 수열** $\{a_n\}$**에 대하여 극한값** $\lim_{n\to\infty}a_n$**을 구하고 그 근거를 논술하시오.**

[문항 1]

(논제 1) **(**20**점)**

제시문 (ㄱ)에 의해 $\sin A=\frac{a}{2R}$, $\sin B=\frac{b}{2R}$**이고,**

제시문 (ㄴ)에 의해 $\cos C = \dfrac{a^2+b^2-c^2}{2ab}$**이다.**

따라서, 제시문 (ㄷ)의 조건은

$$2\sin A\cos C = \sin B \iff 2\cdot\frac{a}{2R}\cdot\frac{a^2+b^2-c^2}{2ab} = \frac{b}{2R}$$

이므로 $a^2=c^2$**이다.**

$a,\ b,\ c$**는 삼각형** ABC**의 세 변의 길이이므로** $a=c$**이고 따라서 삼각형** ABC**는** $A=C$**인 이등변 삼각형이다.**

(논제 2) (10점)

논제 1에 의해 $\overline{\mathrm{AB}}=\overline{\mathrm{BC}}=a$**이므로 삼각형** ABC**의 넓이** S**는**

$$S=\frac{1}{2}a^2\sin B$$

이 $\dfrac{S}{\overline{\mathrm{AB}}^2}=\dfrac{1}{2}\sin B$**이다.**

한편, $0<A<\pi$**이므로** $\dfrac{1}{2}\sin B$**는** $B=\dfrac{\pi}{2}$**에서 최댓값** $\dfrac{1}{2}$**을 갖는다. 따라서 구하고자 하는** $\dfrac{S}{\overline{\mathrm{AB}}^2}$**의 최댓값** M**은** $\dfrac{1}{2}$**이다.**

[문항 2]

(논제 1) (15점)

확률변수 X**가 갖는 값이** 1, 2**이므로** $\mathrm{P}(X=1)=p$**라고 하면**

$$\mathrm{E}(X)=1\times p+2\times(1-p)=2-p$$

이다.

$\mathrm{E}(X)=\dfrac{7}{4}$**이므로** $P(X=1)=p=\dfrac{1}{4}$**이다.**

따라서 확률변수 X**의 확률분포를 표로 나타내면 다음과 같다.**

X	1	2	계
$\mathrm{P}(X=x)$	$\frac{1}{4}$	$\frac{3}{4}$	1

(논제 2) (15점)

사건 $A\cap B$**와 사건** $A\cap B^c$**는 서로 배반사건이고 두 사건의 합사건은 사건** A**이다. 따라서 확률의 덧셈정리에 의해 다음이 성립한다.**

$$\mathrm{P}(A)=\mathrm{P}(A\cap B)+\mathrm{P}(A\cap B^c)$$

그런데 제시문 (ㄷ)의 첫 번째 조건에 의해 $\mathrm{P}(A\cap B)=\mathrm{P}(A)\mathrm{P}(B)$**이므로**

$$\mathrm{P}(A\cap B^c)=\mathrm{P}(A)-\mathrm{P}(A\cap B)=\mathrm{P}(A)(1-\mathrm{P}(B))$$

이다.

그런데 논제 1에서 $\mathrm{P}(B)=\mathrm{P}(X=1)=\dfrac{1}{4}$**이므로**

$$\mathrm{P}(A\cap B^c)=\mathrm{P}(A)(1-\mathrm{P}(B))=\frac{3}{5}\times\frac{3}{4}=\frac{9}{20}$$

이다.

[문항 3]

(논제 1) (20점)

함수 $g(t)=\dfrac{1}{t}$**이라고 하면 함수** $g(t)$**는 구간** $(0,\ \infty)$**에서** $g(t)>0$**이고 감소하므로, 제시문 (ㄱ)과 (ㄴ)에 의해서**

$$\frac{1}{n+1}=\left(\frac{1}{1+\frac{1}{n}}\right)\left(1+\frac{1}{n}-1\right)<\int_1^{1+\frac{1}{n}}\frac{1}{t}dt=\ln\left(1+\frac{1}{n}\right)<1\times\left(1+\frac{1}{n}-1\right)=\frac{1}{n}$$

따라서

$$\frac{1}{2}\le\frac{n}{n+1}<\ln\left(1+\frac{1}{n}\right)^n<1\ \Rightarrow\ \sqrt{e}<\left(1+\frac{1}{n}\right)^n<e.$$

그러므로 제시문 (ㄷ)의 명제 A**는 참이다.**

(논제 2) (20점)

$f(x)=x^3-\left(1+\dfrac{1}{n}\right)^n x^2+x-e$**이라고 하자.**

(a) 논제 1로부터,

$$f\left(\left(1+\frac{1}{n}\right)^n\right)=\left(1+\frac{1}{n}\right)^{3n}-\left(1+\frac{1}{n}\right)^{3n}+\left(1+\frac{1}{n}\right)^n-e<0$$

이고

$$f(e)=e^3-\left(1+\frac{1}{n}\right)^n e^2+e-e=e^2\left(e-\left(1+\frac{1}{n}\right)^n\right)>0.$$

따라서 사잇값 정리에 의해 방정식 $f(x)=0$**은 열린구간** $\left(\left(1+\dfrac{1}{n}\right)^n,\ e\right)$**에서 적어도 하나의 실근을 갖는다.**

(b) $x>e$**인 모든 실수** x**에 대하여**

$$f'(x)=3x^2-2\left(1+\frac{1}{n}\right)^n x+1=x\left(3x-2\left(1+\frac{1}{n}\right)^n\right)+1>0$$

이므로 함수 $f(x)$**는 구간** $(e,\ \infty)$**에서 증가한다. 따라서** $x\ge e$**인 모든 실수** x**에 대하여**

$$f(x) \geq f(e) > 0.$$

그러므로 방정식 $f(x)=0$**은 구간** $(e,\ \infty)$**에서 해를 갖지 않는다.**

논제 1**과 (a), (b)에 의해서 제시문 (ㄹ)의 수** a_n**은 다음을 만족한다.**

$$\left(1+\frac{1}{n}\right)^n < a_n < e.$$

한편, $\lim_{n \to \infty}\left(1+\frac{1}{n}\right)^n = e$**이므로**

$$\lim_{n \to \infty} a_n = e.$$